Lexique de muséologie

Glossary of Museology

Bulletin de terminologie 188

Terminology Bulletin 188

Jean Blanchet
Yolande Bernard

Données de catalogage avant publication (Canada)

Blanchet, Jean (Jean-Marie Eugène)

Lexique de muséologie = Glossary of museology / Jean Blanchet, Yolande Bernard.

(Bulletin de terminologie = Terminology bulletin ; 188)
Texte en anglais et en français.
Publié par le Bureau des traductions, Direction générale de la terminologie et des services linguistiques.
Bibliogr.: p.
ISBN 0-660-54662-0

1. Muséologie--Dictionnaires anglais. 2. Anglais (Langue)--Dictionnaires français. 3. Muséologie--Dictionnaires. 4. Français (Langue)--Dictionnaires anglais. I. Bernard, Yolande. II. Canada. Secrétariat d'État du Canada. III. Canada. Bureau des traductions. Direction générale de la terminologie et des services linguistiques. IV. Titre. V. Titre: Glossary of museology. VI. Coll.: Bulletin de terminologie (Canada. Bureau des traductions. Direction générale de la terminologie et des services linguistiques) ; 188.

AM3.B52 1988   069.0341
C89-099404-8F

Canadian Cataloguing in Publication Data

Blanchet, Jean (Jean-Marie Eugène)

Lexique de muséologie = Glossary of museology / Jean Blanchet, Yolande Bernard.

(Bulletin de terminologie = Terminology bulletin ; 188)
Text in English and French.
Issued by the Translation Bureau, Terminology and Linguistic Services Branch.
Bibliography: p.
ISBN 0-660-54662-0

1. Museum techniques--Dictionaries. 2. English language--Dictionaries--French. 3. Museum techniques--Dictionaries--French. 4. French language--Dictionaries--English. I. Bernard, Yolande. II. Canada. Dept. of the Secretary of State of Canada. III. Canada. Translation Bureau. Terminology and Linguistic Services Branch. IV. Title. V. Title: Glossary of museology. VI. Series: Bulletin de terminologie (Canada. Translation Bureau. Terminology and Linguistic Services Branch) ; 188.

AM3.B52 1988   069.0341
C89-099404-8E

Table des matières

Table of Contents

Avant-propos

L'ouverture du Musée des beaux-arts et du Musée canadien des civilisations, dans la région de la Capitale nationale, témoigne de l'intérêt de plus en plus marqué que manifestent les Canadiens pour les activités muséales. Ce changement d'attitude découle d'une conscientisation accrue de la valeur de nos richesses patrimoniales et d'un souci plus grand de les conserver.

Par ailleurs, les changements apportés à la structure même des musées et aux méthodes de gestion ont créé de nouveaux besoins qu'il faut exprimer par une terminologie appropriée.

Le présent lexique est le premier du genre, et nous croyons que sa publication s'imposait depuis longtemps. Il constituera sans doute un outil de premier choix pour toutes les personnes qui oeuvrent dans le domaine.

Foreword

The opening of the new National Gallery of Canada and the Canadian Museum of Civilization in the National Capital Region bears testimony to the growing interest among Canadians in museums and their role. This change in attitude springs from an increased awareness of the value of our heritage and a growing concern to preserve it.

Moreover, changes in the way museums are structured and managed have given rise to new concepts which have to be expressed in appropriate terminology.

This glossary, the first of its kind, fills a long-felt need. It will undoubtedly prove an invaluable reference tool for all those involved in the field.

Le sous-secrétaire d'État adjoint
(Langues officielles et Traduction),

Alain Landry

Assistant Under Secretary of State
(Official Languages and Translation)

Introduction

Le présent lexique comprend 2 900 entrées; il regroupe les principales notions de la muséologie. Il s'adresse non seulement aux traducteurs, mais aussi aux personnes qui travaillent dans les musées ou qui exercent des activités liées à la muséologie. La terminologie retenue témoigne bien de l'évolution du rôle des musées au cours des dernières décennies. En effet, les musées jouent un rôle de plus en plus important dans la société moderne. Ils ne s'adressent plus aux seuls yeux admiratifs d'une population sélecte; ils ouvrent leurs portes au grand public, et tout particulièrement aux enfants. Véritables centres culturels, ils offrent maintenant des activités éducatives à la portée de tous. S'y tiennent des conférences, des concerts, des spectacles de danse, des projections cinématographiques et des festivals. Les échanges entre musées sont de plus en plus nombreux et diversifiés, aussi bien au niveau local qu'au niveau national ou international.

Nous tenons à remercier de leur précieuse collaboration Michel Hénault, réviseur à la Direction des services de traduction ministériels — Communications, Lise Bellefeuille, coordonnatrice du Service de terminologie du Musée canadien des civilisations et Jacques Pichette, rédacteur-réviseur au Service des publications du Musée des beaux-arts du Canada.

Introduction

This glossary, which contains 2 900 entries, groups together the most important concepts in the field of museology. It is intended not only for translators, but also for museum employees and others involved in museum-related activites. Indeed, museums play an ever greater role in modern society. No longer are they the hallowed preserve of a select group of enthusiasts; their doors are wide open to the general public, especially children. Genuine cultural centres, they now offer educational activities that invite the active participation of all. Lectures, concerts, dance recitals, film screenings and festivals are held there. Exchanges between museums, both locally and internationally, are increasing in number and variety.

We would like to thank Michel Hénault, reviser at the Departmental Translation Services Directorate — Communications, Lise Bellefeuille, coordinator of the Terminology Service of the Canadian Museum of Civilization and Jacques Pichette, writer-editor of the Publications Division of the National Gallery of Canada for their valuable contribution.

Nous invitons les lecteurs à nous faire part de leurs observations et à nous signaler les modifications qui, à leur avis, devraient être apportées à la publication.

Direction générale de la terminologie et des services linguistiques
Bureau des traductions
Secrétariat d'État du Canada
Ottawa (Ontario)
K1A 0M5

Readers are invited to send comments and suggestions to the following address:

Terminology and Linguistic Services Branch
Translation Bureau
Department of the Secretary of State of Canada
Ottawa, Ontario
K1A 0M5

Guide d'utilisation

;	les synonymes sont séparés par des points-virgules;
( )	ajout d'une courte explication ou d'un exemple pour situer le terme;
adj.	adjectif;
cf.	renvoi à une notion apparentée;
FRA	France;
GBR	Royaume-Uni;
n.	nom;
néol.	néologisme;
n.f.	nom féminin;
n.m.	nom masculin;
NOTA	remarque sur le sens ou l'emploi d'un terme;
p. ex.	par exemple;
plur.	pluriel;
SEE	renvoi au terme sous lequel la notion est définie;
sing.	singulier;
USA	États-Unis;
v.	verbe;
1., 2.	la numérotation des équivalents retenus pour un terme de départ signifie que ces équivalents ne recouvrent pas la même notion et ne sauraient par conséquent être substituables.

User's Guide

;	indicates synonymy;
( )	a brief explanation or example are given to situate the term;
adj.	adjective;
Cf.	cross-reference to a related concept;
FRA	France;
GBR	Great Britain;
n.	a noun;
neol.	neologism;
n.f.	feminine noun (applies to French only);
n.m.	masculine noun (applies to French only);
NOTE	a comment made on the meaning or use of a term;
e.g.	example;
pl.	plural;
SEE	indicates under which entry the concept is defined;
sing.	singular;
USA	United States;
v.	a verb form;
1., 2.	when numbers are assigned to the equivalents chosen for a term in the source language, these equivalents do not apply to the same concept and therefore are not interchangeable.

a

absorption radar system	système de radar à absorption
abstract painting	peinture abstraite
abundant moisture; high humidity	grande humidité
access (to museum, objects)	accès (au musée, aux objets)
accessibility (of collections, museum)	accessibilité (des collections, du musée)
accessible to disabled persons; accessible to the handicapped	accessible aux personnes handicapées; accessible aux handicapés
accession; acquisition	acquisition Action d'enrichir la collection par achat, donation, échange, legs, etc.
accession; acquisition	acquisition Objet acquis.
accessioning; registration; entry (of acquisitions)	enregistrement (des acquisitions); inscription sur l'inventaire
accession list; acquisition list; acquisitions list	liste des acquisitions
accession number; inventory number; registration number	numéro d'acquisition; numéro d'enregistrement Numéro attribué à toute acquisition destinée à la collection.
accession register; accessions register; accessions book; acquisitions register	registre des acquisitions
accessions committee; acquisitions committee; acquisition committee	comité des acquisitions
accessions register; accessions book; acquisitions register; accession register	registre des acquisitions
accreditation (of a museum)	octroi de statut (de musée)
achievements of the past	réalisations du passé

acoustics	acoustique
acoustics museum	musée de l'acoustique
acquired by illicit means	acquis d'une manière illicite
acquisition SEE accession	
acquisition committee; acquisitions committee; accessions committee	comité des acquisitions
acquisition list; acquisitions list; accession list	liste des acquisitions
acquisition method	mode d'acquisition
acquisition policy; acquisitions policy; purchasing policy	politique d'acquisition; politique d'achat
acquisition receipt	récépissé d'acquisition
acquisitions committee; acquisition committee; accessions committee	comité des acquisitions
acquisitions list; accession list; acquisition list	liste des acquisitions
acquisitions policy; acquisition policy; purchasing policy	politique d'acquisition; politique d'achat
acquisitions register; accession register; accessions register; accessions book	registre des acquisitions
acquisition strategy	stratégie d'acquisition
active museum	musée actif
activity room	salle d'activités
adaptable museum	musée polyvalent
adaptive use (of buildings, space)	polyvalence (des bâtiments, des locaux)
adequate sample; representative sample (of cultural property)	échantillon représentatif (de biens culturels)
adjoining space	espace annexe
adjustable case	vitrine transformable

2

adjustable metal shelving system	rayons métalliques réglables; étagères métalliques réglables; étagères métalliques mobiles
adjustable shelving	rayons mobiles; étagères mobiles; étagères réglables
administrative director	directeur administratif
admission fee; admission charge	droit d'entrée
admission ticket	billet d'entrée
adverse atmospheric conditions	conditions atmosphériques défavorables
advisory committee	comité consultatif
advisory council	conseil consultatif
advisory service	service consultatif
aerial archaeology	archéologie aérienne
aerial photography	photographie aérienne
aeronautics museum; air museum; aviation museum; aircraft museum	musée de l'air; musée de l'aviation; musée de l'aéronautique
aesthetic arrangement	disposition esthétique
aesthetic content	contenu esthétique
aesthetic display	présentation esthétique
aestheticist approach	approche esthétisante
aesthetics	esthétique
aesthetic value	valeur esthétique
age; oldness (of a work of art)	ancienneté (de l'oeuvre)
age-grade [USA]; age-group (of visitors)	groupe d'âge (des visiteurs)
ageing; aging [USA] (of museum objects)	vieillissement (des objets de musée)
age profile of visitors; visitor age profile	composition du public selon l'âge
agricultural exhibition	exposition agricole; foire agricole

3

agricultural implements museum; museum of agricultural implements	musée d'instruments aratoires; musée d'instruments agricoles; musée d'outils agricoles; musée de l'outillage agricole
agriculture museum; museum of agriculture; agricultural museum; farm museum	musée agricole; musée d'agriculture
air conditioning	climatisation
air-conditioning equipment	matériel de climatisation
air-conditioning system	circuit de climatisation
aircraft museum; aeronautics museum; air museum; aviation museum	musée de l'air; musée de l'aviation; musée de l'aéronautique
air dryness	sécheresse de l'air
air homogeneity	homogénéité de l'air
air impurity	impureté de l'air
airlock	sas
air museum; aeronautics museum; aviation museum; aircraft museum	musée de l'air; musée de l'aviation; musée de l'aéronautique
air pollution	pollution atmosphérique
air purity	pureté de l'air
air purity control	régulation de la pureté de l'air
alarm	signal d'alarme; alarme
alarm device; warning device	dispositif d'alarme
alarm system	système d'alarme
all-purpose auditorium	auditorium polyvalent
alphabetical catalogue	catalogue alphabétique
alteration SEE deterioration	
aluminium screen	écran d'aluminium
amateur collector SEE collector	

ambient air	air ambiant
amphitheatre	amphithéâtre
amusement workroom (for children)	atelier de récréation (pour enfants)
analytical data card; subject data card	fiche analytique
anastylosis Reconstruction of monuments or buildings from fallen parts.	anastillose Reconstruction d'un monument ou d'un édifice avec des éléments retrouvés sur place.
anatomy museum	musée d'anatomie
ancient monument	monument ancien
ancient sculpture (from antiquity)	sculpture antique (datant de l'antiquité)
ancient site	site ancien
ancient work (from antiquity)	antique (n.f.) Objet datant de l'antiquité. NOTA Terme désuet.
ancillary service; auxiliary service	service auxiliaire
animal life	vie animale
animal material	matériel animal
animal paleontology museum; museum of animal paleontology	musée de paléontologie animale
animated cartoon	dessin animé
animated display	présentation animée
animated film	film d'animation
animated model; working model	modèle animé
animation	animation (auprès du public)
animation session	séance d'animation
anthrenus museorum; museum beetle	anthrène; *anthrenus museorum* Insecte qui détériore les fourrures et les collections zoologiques.
anthropologist	anthropologue

anthropology
Study of physical, cultural and social characteristics of mankind.

anthropologie
Ensemble des sciences concernant les caractéristiques physiques, sociales et culturelles de l'homme.

anthropology museum; museum of anthropology

musée d'anthropologie

antiquarian; antiquary
Student or collector of antiques.

amateur d'antiquités
Personne qui étudie ou collectionne les antiquités.

antique
Old object.

antiquité
Objet ancien.

antiques museum; museum of antiques

musée d'antiquités

antiquities (pl.)
Objects or monuments dating from ancient times.

antiquités (plur.)
Objets ou monuments datant de l'antiquité ou très anciens.

appeal (v.) to the public's sensitivity

solliciter la sensibilité du public; faire appel à la sensibilité du public

applied arts

arts appliqués

applied arts museum; museum of applied arts

musée des arts appliqués

appraisal; estimation; evaluation; valuation
The act of estimating, evaluating, etc.

estimation; évaluation

Action d'estimer, d'évaluer.

appraisal; valuation; appraised value; estimated value; estimate

valeur estimée; évaluation

appraisal of authenticity; authenticity appraisal

expertise

Étude d'un objet dont l'authenticité est douteuse.

appraised value; appraisal; valuation; estimated value; estimate

valeur estimée; évaluation

appreciation; increase in value
NOTE As opposed to "depreciation".

augmentation de valeur

arboretum
NOTE Plural: arboretums or arboreta.

arboretum
NOTA Au pluriel : arboretums.

6

arcade (sing.) Series of arches and columns.	arcades (plur.)
archaeography	archéographie
archaeological dating	datation archéologique
archaeological department	service d'archéologie; service archéologique; département d'archéologie
archaeological excavation; dig (familiar)	fouille archéologique; fouille
archaeological exhibition	exposition archéologique
archaeological field work	mission archéologique; travail archéologique sur le terrain
archaeological find	découverte archéologique; objet de fouille archéologique
archaeological heritage	patrimoine archéologique
archaeological layer; archaeological stratum	couche archéologique
archaeological map; archaeological plan	carte archéologique
archaeological monument	monument archéologique
archaeological museum; archaeology museum; museum of archaeology	musée d'archéologie
archaeological plan; archaeological map	carte archéologique
archaeological remains	vestiges archéologiques
archaeological research	recherche archéologique
archaeological site 1. A location. 2. A remain deposit.	1. site archéologique 2. gisement archéologique
archaeological society	société archéologique
archaeological stratum; archaeological layer	couche archéologique

archaeologist	archéologue
archaeology	archéologie
archaeology museum; museum of archaeology; archaeological museum	musée d'archéologie
archaeometry	archéométrie
architectural constraints	contraintes architecturales
architectural criteria	critères architecturaux
architectural design	conception architecturale
architectural element	élément d'architecture
architectural heritage	patrimoine architectural
architectural layout	dispositif architectural
architecture museum; museum of architecture; architectural museum	musée d'architecture
archival document	document d'archives
archival science	archivistique
archive (v.)	archiver
archives (pl.)	archives (plur.)
archives depository; depository	dépôt d'archives
archivist	archiviste
army museum	musée de l'armée
arranged museum space	espace muséal aménagé
arrangement (of an area)	aménagement (d'un espace, d'un endroit)
arrangement (of objects); disposition	disposition (des objets)
arrangement of museum space; museum space arrangement	aménagement de l'espace muséal
arrange (v.) objects	disposer des objets
art and archaeology museum; museum of art and archaeology	musée d'art et d'archéologie

art bank	banque d'oeuvres d'art
art booty (from the war)	butin artistique (de guerre)
art centre	centre artistique; centre d'art
art collection	collection d'objets d'art; collection d'oeuvres d'art
art collector	collectionneur d'oeuvres d'art; collectionneur d'objets d'art
art course (in a museum)	cours sur l'art (donné au musée)
art critic	critique d'art
art dealer	marchand d'oeuvres d'art
art education (in a museum)	éducation artistique (au musée)
artefact SEE artifact	
art exhibition	exposition d'art; exposition d'oeuvres d'art
art exhibition hall	salle d'exposition d'oeuvres d'art
art film	film d'art
art gallery SEE gallery	
art guidebook	guide d'art
art historian	historien de l'art
art history; history of art	histoire de l'art
articulated museum	musée articulé

artifact; artefact
An object produced or shaped by human workmanship or, possibly a natural object deliberately selected and used by a human being because of its significance and which primarily constitute the permanent collections of a museum.

objet; objet façonné
NOTA «Objet» et «objet façonné» sont les termes uniformisés à la fonction publique fédérale. Toutefois, le terme «artefact» est courant chez les spécialistes.

artificial ageing test	test de vieillissement artificiel

artificial light	lumière artificielle
artificial lighting	éclairage artificiel
artillery museum	musée de l'artillerie
artistic heritage	patrimoine artistique
artistic monument; art monument	monument artistique
artistic property	propriété artistique
artistic value	valeur artistique
artist-run centre	centre d'art autogéré
artists' collaboration	collaboration d'artistes
art kit	oeuvre en mallettes
art library	bibliothèque d'art
art lover	amateur d'art
art market Cf. art trade	marché de l'art
art monument; artistic monument	monument artistique
art museum; museum of art	musée d'art
art network	circuit de l'art; réseau de l'art
art object	objet d'art
art rental gallery	artothèque (néol.)
arts and crafts	arts et métiers
arts management	gestion artistique
art storage boards; sliding rack storage with peg board	système de stockage à glissières avec panneaux à chevilles
art storage screens; sliding rack storage with wire screening	système de stockage à glissières avec panneaux en treillis métallique
art techniques	techniques artistiques
art trade; fine art trade Cf. art market	commerce de l'art

art treasure	trésor artistique
artwork	illustrations (plur.)
assemble (v.)	1. assembler (des objets)
	2. constituer (une collection)
assembly	montage
assistance program; support program	programme d'appui
assistant	adjoint; assistant
assistant curator	conservateur adjoint
associate curator	conservateur associé
associate museum	musée associé
association of friends of the museum	association des amis du musée
astronautics museum; space museum	musée de l'espace
astronomy museum	musée d'astronomie
atmospheric conditions	conditions atmosphériques
atomic energy museum; nuclear energy museum; nuclear science museum	musée de la science nucléaire; musée de l'énergie atomique; musée de l'énergie nucléaire
atomization of fungicide; fungicide spray	vaporisation de fongicide
attendance (by visitors at a museum or exhibition)	fréquentation (d'un musée ou d'une exposition par les visiteurs)
attendance rate	taux de fréquentation
attendance statistics	statistiques de fréquentation
attract (v.) visitors	attirer les visiteurs
auction	vente aux enchères
audible alarm	dispositif d'alarme sonore
audience research	recherche sur le public
audioguide	audioguide

audioguided tour; recorded tour; audiotour	visite audioguidée
audio-visual (n.; adj.)	audiovisuel (n.; adj.)
audio-visual aids	moyens audiovisuels
audio-visual display	présentation audiovisuelle
auditorium	auditorium
authentic (adj.)	authentique (adj.)
authenticity	authenticité
authenticity appraisal SEE appraisal of authenticity	
authentication	authentification
automatic alarm	alarme automatique
automatic closing system	système de fermeture automatique
automatic detection (of fire)	détection automatique (d'incendie)
automatic device	dispositif automatique
automatic extinguisher system	système d'extinction automatique
automatic halon extinguishing system; halon system	système d'extinction automatique au halon; système au halon
automatic method	procédé automatique
automatic museum (neol.) Museum with mobile visitor platforms.	musée automatique (néol.) Musée pourvu de plates-formes mobiles pour les visiteurs.
automatic sprinkler system	système d'arrosage automatique
automatic surveillance	surveillance automatique
automatic teleselection (neol.) (of stored works)	télésélection automatique (néol.) (d'oeuvres en réserve)
automation	automatisation
automaton	automate
automobile museum	musée de l'automobile

autonomous exhibition	exposition autonome
auxiliary service; ancillary service	service auxiliaire
available to the public	à la disposition du public
average age of visitors; visitor average age	âge moyen des visiteurs; moyenne d'âge des visiteurs
aviation museum; aircraft museum; aeronautics museum; air museum	musée de l'air; musée de l'aviation; musée de l'aéronautique
award	prix (récompense); distinction

b

background	1. arrière-plan 2. fond
backing (of a painting)	dos protecteur (d'un tableau)
bacterial disease	maladie bactérienne
bactericide	bactéricide
badge; name tag; identification tag (for museum staff)	insigne d'identité (pour le personnel de musée)
bailee liability insurance	assurance sous cautionnement
balanced ratio (of humidity)	pourcentage équilibré (d'humidité)
bank museum	musée bancaire
bank of objects	banque d'objets
base; pedestal (of a statue, etc.)	socle
basic collection	collection de base
basic equipment	matériel de base
basic techniques (of conservation)	techniques fondamentales; techniques de base (de restauration)
behaviour (visitors behaviour)	comportement (des visiteurs)
bench (in a laboratory)	table de travail; table de manipulation (dans un laboratoire)

benefactor	bienfaiteur
bequest	legs NOTA Nom masculin invariable.
bequest list	inventaire de succession
bibliophagous worm; book-eating worm; bookworm	ver bibliophage
biennial; biennial exhibition	biennale; exposition biennale
biodegradation	biodégradation
biographical collection	collection biographique
biographical exhibition	exposition biographique
biography	biographie
biological action	action biologique
biological effect	effet biologique
biology museum; museum of biology	musée de biologie
biotope	biotope
birthplace museum	maison natale
blockbuster exhibition	exposition vedette; exposition d'envergure
board of trustees; governing board	conseil d'administration
bookbinding	reliure
book-eating worm; bibliophagous worm; bookworm	ver bibliophage
book museum	musée du livre
bookshop (in a museum)	librairie (dans un musée)
bookworm; book-eating worm; bibliophagous worm	ver bibliophage
booth; stand; stall	stand
borrower	emprunteur
borrowing (of museum objects)	emprunt (d'objets de musée)

botanical garden	jardin botanique
botanical museum; museum of botany; botany museum	musée de botanique
botanical sample	échantillon botanique
botany museum; museum of botany; botanical museum	musée de botanique
bottom alignment (of paintings)	alignement par le bas (de tableaux)
bracket	support
Braille label	étiquette en braille
branch museum	annexe de musée; musée annexe
brief guide; concise guide	guide sommaire
brittle (adj.)	1. cassant (dans le cas des objets) 2. friable (dans le cas des peintures)
broadcasting museum	1. musée de la radiodiffusion 2. musée de la télévision 3. musée de la radio et de la télévision
brochure	brochure
building maintenance	entretien des locaux
building services	services techniques du bâtiment
built-in showcase	vitrine encastrée
bulletin; newsletter	bulletin
burglary	vol avec effraction; cambriolage
by-law	1. arrêté (municipal) 2. règlement administratif (d'un musée)

C

cabinet; storage cabinet	armoire de rangement

cabinet of curiosities; curiosity cabinet; curio cabinet	cabinet de curiosités [FRA]; chambre des merveilles; cabinet de raretés [FRA]
NOTE Obsolete terms.	NOTA Termes désuets.
cabinet storage	rangement en armoire
cache; hoard (in archaeology)	cache (archéologique)
Canada Museums Construction Corporation	Société de construction des musées du Canada
Canadian Conservation Institute; CCI	Institut canadien de conservation; ICC
Canadian Cultural Property Export Review Board	Commission canadienne d'examen des exportations de biens culturels
Canadian Federation of Friends of Museums	Fédération canadienne des Amis des musées
Canadian Heritage Information Network; CHIN	Réseau canadien d'information sur le patrimoine; RCIP
Canadian Inventory of Historic Buildings; CIHB	Inventaire canadien des édifices historiques
Canadian Museum of Civilization NOTE Former name: National Museum of Man	Musée canadien des civilisations NOTA Ancien nom : Musée national de l'Homme.
Canadian Museum of Contemporary Photography	Musée canadien de la photographie contemporaine
Canadian Museums Association; CMA	Association des musées canadiens; AMC
Canadian Ski Museum	Musée canadien du ski
Canadian War Museum	Musée canadien de la guerre
canvas painting	peinture sur toile
capillary action	capillarité
caption; legend	légende
carbon dating; carbon 14 dating; radiocarbon dating	datation au radiocarbone; datation au carbone 14
carbon dioxide extinguisher	extincteur à neige carbonique

carcinologist	carcinologue
card; index card	fiche
card catalogue	catalogue sur fiche
card instruction	directives sur fiche
care (of works of art)	soin (des oeuvres d'art)
case (for a loan collection)	coffret (de collection de prêt)
cassette recording	enregistrement sur cassette
cast (object)	moulage (objet)
caster Person who makes casts of objects.	mouleur Ouvrier qui moule des objets.
casting (process)	moulage (procédé)
castle museum	château-musée
casts and reproductions museum; museum of casts and reproductions	musée de moulages et de reproductions
cataloger; cataloguer	catalogueur
catalogue (v.)	cataloguer
catalogue (n.)	catalogue
catalogue card	fiche de catalogue
cataloguer; cataloger	catalogueur
cataloguing	catalogage
cave museum	grotte-musée
cave open to the public	grotte aménagée
CCI; Canadian Conservation Institute	ICC; Institut canadien de conservation
CCQ; Centre de conservation du Québec	CCQ; Centre de conservation du Québec
ceiling rail	rail fixé au plafond
central catalogue; main catalogue; main master catalogue; general catalogue	catalogue central; catalogue général

central computer Cf. CHIN	ordinateur central
central control post	poste central de surveillance
central showcase	vitrine centrale
Centre de conservation du Québec; CCQ	Centre de conservation du Québec; CCQ
ceramic	céramique; pièce de céramique
ceramics museum	musée de céramique
chemical analysis	analyse chimique
chemical cleaning	nettoyage chimique
chemical control (of pests)	lutte chimique (contre les insectes nuisibles)
chemical effect	effet chimique
chemical examination	examen chimique
chemical product	produit chimique
chemical treatment	traitement chimique
chemistry museum	musée de chimie
chief conservator; head conservator; chief restorer; senior restorer	restaurateur en chef; restaurateur principal
chief curator; custodian	conservateur en chef
chief preparator	préparateur en chef
chief restorer; senior restorer; chief conservator; head conservator	restaurateur en chef; restaurateur principal
childhood museum	musée de l'enfance
children's club (in a museum)	club de jeunes (dans un musée)
children's exhibition	exposition pour enfants
children's museum	musée pour enfants
children's section	section enfantine
children's workroom	atelier pour enfants

CHIN; Canadian Heritage Information Network	RCIP; Réseau canadien d'information sur le patrimoine
chlorination	chloruration
Christian antiquity museum	musée de l'antiquité chrétienne
chronological development; chronological progress	déroulement chronologique
chronological display	présentation chronologique
chronological exhibition	exposition chronologique
chronological hanging (of paintings)	accrochage chronologique (de tableaux)
chronological progress; chronological development	déroulement chronologique
chronology	chronologie
church treasure	trésor d'église
CIHB; Canadian Inventory of Historic Buildings	Inventaire canadien des édifices historiques
cinema hall; movie room	cinéma; salle de cinéma
cinema museum; film museum	musée du cinéma
circulating agency (for a travelling exhibition)	société organisatrice du circuit; société organisatrice de la tournée (d'une exposition itinérante)
circulation of visitors; visitor circulation	circulation des visiteurs
circus museum	musée du cirque
city museum; municipal museum	musée municipal
classification Putting objects in order in a collection.	classement Mettre des objets dans un ordre voulu.
classification Placing of objects in various categories. Classification of museum objects, collections.	classification Distribution des objets en diverses catégories. Classification des objets de musée, des collections.
classification file	dossier de classification
classification scheme	plan de classification

19

classified museum	musée classé
classify (v.)	classifier
class of visitors	catégorie de visiteurs
cleaning	nettoyage
clerical staff; office staff	personnel de bureau
climate (of a gallery or room, etc.)	climat (d'une salle)
climate control	régulation du climat
climate-controlled packing box; climate-controlled packing crate	caisse de transport climatisée; caisse climatisée
climatic conditions	conditions climatiques
clockmaking museum; horology museum	musée de l'horlogerie
cloister museum	cloître-musée
closed-circuit television	télévision en circuit fermé
closely-spaced shelving	étagères rapprochées
closing hours	heures de fermeture
club (for art lovers, for friends of the museum, etc.)	club (d'amateurs d'art, d'amis du musée, etc.)
CMA; Canadian Museums Association	AMC; Association des musées canadiens
code (on an object)	code (sur un objet)
code of museum ethics	code de déontologie muséale
coding	codage
coin	pièce de monnaie
coin collection	collection de monnaies
coins and medals gallery; numismatic gallery; coins and medals room; numismatic room	galerie des monnaies et médailles; salle des monnaies et médailles; cabinet des monnaies et médailles [FRA]
collect (v.) To assemble in a collection.	collectionner Réunir des objets pour une collection.

collectables; collectibles	objets de collection
collecting Gathering of objects.	collecte; collectionnement Action de réunir des objets.
collecting The making of a collection.	constitution d'une collection
collecting campaign	campagne de collecte
collecting expedition	expédition de collecte
collecting permit	permis de collecte
collecting plan	plan de collecte
collection The collected objects of a museum, acquired and conserved because of their significance and of their potential value.	collection
collection catalogue	catalogue de collection
collection check; inspection of collection; collection control	vérification de la collection; vérification du fonds
collection development; collection growth	enrichissement de collection
collection file; collection record	dossier de collection
collection growth; collection development	enrichissement de collection
collection in storage; reserve collection	collection en réserve
collection loan; loan of collection	prêt de collection
collection maintenance; maintenance of collections	entretien des collections
collection plan	plan de collection
collection policy	1. politique en matière de collections; politique relative à la collection 2. politique d'enrichissement de la collection
collection record; collection file	dossier de collection

R.V.

collections management	gestion des collections
collection specificity	spécificité des collections
collections security; security of collections	sécurité des collections
collection statistics	statistiques sur les collections
collection usage; utilization of collections; use of collections	utilisation des collections; usage des collections
collective work	oeuvre collective
collector; amateur collector Person who has assembled or is assembling a collection.	collectionneur Personne qui a ou qui constitue une collection.
college museum	musée de collège
colonial art museum	musée d'art colonial
colonnade	colonnade
colorant fading	altération des colorants
colour coding	signalisation par couleurs
commemorative exhibition; memorial exhibition	exposition commémorative
commemorative plaque; memorial plaque; memorial tablet	plaque commémorative
commemorative room; memorial room	salle commémorative
commemorative site; memorial site	lieu commémoratif
commerce museum	musée du commerce
commission (v.) (a work)	commander (une oeuvre); passer une commande à un artiste
commissioned work	oeuvre commandée; commande
Commission for the Protection of Historic Monuments; Historic Preservation Commission	Commission pour la protection des monuments historiques
communication network (between museums)	réseau de communication (entre musées)

communications museum	musée des communications
communicative value (of museum objects)	valeur communicative (des objets de musée)
community museum; local museum	musée local
company museum NOTE "Factory museum", if applicable, is sometimes used.	musée d'entreprise
comparative display	présentation comparative
comparative exhibition	exposition comparative
compartmentalized storage	stockage en compartiments
compartmentation of premises (for security purposes)	compartimentation des locaux; compartimentage des locaux (pour des raisons de sécurité)
complete exhibition (of donated works, for example)	exposition intégrale (d'une donation, par exemple)
complete inventory; general inventory; main inventory	inventaire général
complete reconstruction	reconstitution intégrale
computerization	informatisation
computerized catalogue	catalogue informatisé
computerized cataloguing	catalogage informatisé
computerized collection inventory	inventaire informatisé des collections
computerized index	index informatisé
computerized inventory	inventaire informatisé
computerized record	registre informatisé
computer network	réseau informatique
computer science museum	musée de l'informatique
computer system	système informatique
concentration camp museum	musée de camp de concentration
concise guide; brief guide	guide sommaire

condensation	condensation
conditioned air	air conditionné
condition report; conservation report	rapport sur l'état de conservation (des oeuvres)
conference	conférence
connected partition	cloison annexe
connecting gallery (between two buildings, two rooms, etc.)	galerie de liaison (entre deux bâtiments, deux salles, etc.)
connoisseur	connaisseur
conservation The reconditioning and preservation of works of art. Cf. restoration	1. conservation Action de stabiliser l'état d'une oeuvre, d'éliminer les causes de son altération et de la protéger contre les facteurs nocifs de son milieu. 2. restauration Traitement qui consiste à remettre en état une oeuvre abîmée ou défraîchie en la réparant ou même en la complétant. NOTA La conservation englobe la préservation et la restauration. Le but de la conservation est de prévenir les dommages alors que celui de la restauration est de les réparer.
conservation condition	état de conservation
conservation department	service de conservation
conservation equipment	matériel de restauration
conservation facilities	installations de restauration
conservation institute	institut de conservation
conservation laboratory	1. laboratoire de restauration 2. laboratoire de conservation
conservation plan	1. plan de conservation 2. plan de restauration
conservation policy	1. politique de conservation 2. politique de restauration

conservation principles	1. principes de conservation
	2. principes de restauration
conservation program	1. programme de conservation
	2. programme de restauration
conservation record	1. dossier de restauration
	2. dossier de conservation
conservation report; condition report	rapport sur l'état de conservation (des oeuvres)
conservation technician	1. technicien en restauration
	2. technicien en conservation
conservation technique	1. technique de restauration
	2. technique de conservation
conservation theory	1. théorie de la restauration
	2. théorie de la conservation
conservation treatment	1. traitement de restauration
	2. traitement de conservation
conservation workshop	1. atelier de restauration
	2. atelier de conservation
conservator; restorer	restaurateur
A person who conserves and restores artifacts and works of art. Cf. curator	Personne qui s'occupe de préserver et de restaurer les objets et les oeuvres d'arts.
conserve (v.)	1. restaurer
	2. conserver
consolidation (of materials, monuments, etc.)	consolidation (de matériaux, de monuments, etc.)
construction and buildings museum; museum of construction and buildings	musée de la construction et du bâtiment
consultant	expert-conseil
containerized storage	stockage en conteneurs
contaminant (n.; adj.)	contaminant (n.; adj.)
contemplation (of a work of art)	contemplation (d'une oeuvre d'art)

contemporary art	art contemporain
contemporary art museum; museum of contemporary art	musée d'art contemporain
contemporary history museum; museum of contemporary history	musée d'histoire contemporaine
contemporary living conditions	habitat contemporain
contingency planning	planification des mesures d'urgence; plans d'urgence; planification alternative
continuous exposure (in the open air)	exposition continue (à l'air)
contribution; donation; gift	don (en argent ou en nature)
control (n.) (of temperature, pressure, humidity, lighting, etc.)	régulation (de la température, de la pression, de l'humidité, de l'éclairage, etc.)
control (v.); regulate (humidity, temperature, etc.)	régler; régulariser (l'humidité, la température) À ÉVITER : contrôler
control console (for automatic teleselection)	pupitre de commande (pour télésélection automatique)
control of visitors; visitor control	1. contrôle des visiteurs (à l'entrée ou à la sortie) 2. surveillance des visiteurs (dans les salles)
conversion of historic monument	reconversion de monument historique
co-operation network	réseau de coopération (entre musées)
co-operative gallery	galerie coopérative
coordinated acquisitions	acquisitions coordonnées
co-ownership (of objects by more than one museum)	copropriété (d'objets par plus d'un musée)
copy Cf. reproduction, replica	copie
copyright	droit d'auteur

core funding	financement de base
core of the collection	collection de base
corporate donation	don de société
corporate sponsorship	commandite d'entreprise
corrosion	corrosion
corrosion prevention	prévention de la corrosion
cosmetics museum	musée de cosmétique; musée de cosmétologie
costume	costume; vêtement
costume accessory	accessoire de costume; accessoire de vêtement
costume museum	musée du costume; musée du vêtement
counterfeiting SEE forgery	
country architecture	architecture rurale
country life museum; rural life museum	musée de la vie rurale
countryside centre; nature centre	centre d'interprétation de la nature; centre d'initiation à la nature
countryside interpretation; nature interpretation	interprétation de la nature
county museum	musée de comté
cover (v.) e.g. to cover a wall with paintings.	couvrir; tapisser p. ex. couvrir ou tapisser un mur avec des tableaux.
coverage of risks; risks coverage	couverture de risques
covering (of a surface)	revêtement (d'une surface)
cradling and bracket system (storage system)	système à berceau et supports muraux (système de stockage)
craft activity	activité artisanale
craft product	produit artisanal

crafts history; history of crafts	histoire des métiers
crafts museum	musée de l'artisanat
craft workshop	atelier d'artisanat
crating	mise en caisse
crating area	aire d'emballage
creation workshop	atelier de création
creativity workshop	atelier de créativité
criminology museum	musée de criminologie
critical testimony	témoignage critique
cubic display case	vitrine-cube
cultural achievements	réalisations culturelles
cultural activity	activité culturelle
cultural animation centre	centre d'animation culturelle
cultural anthropology museum	musée d'anthropologie culturelle
cultural association	association culturelle
cultural centre; culture house	centre culturel; maison de la culture [FRA]
cultural centre and museum	musée-maison de la culture [FRA]
cultural customs	pratiques culturelles
cultural development	évolution culturelle
cultural environment	environnement culturel
cultural exchange; cultural interchange	échange culturel
cultural fact	fait culturel
cultural group	groupe culturel
cultural heritage	patrimoine culturel; héritage culturel
cultural history museum; museum of cultural history	musée d'histoire culturelle

28

cultural institution	institution culturelle
cultural interchange; cultural exchange	échange culturel
cultural layer (in an archaeological excavation)	couche culturelle (dans une fouille archéologique)
cultural legislation	législation culturelle
culturally-oriented activity	activité à caractère culturel
cultural multiplicity	pluralité des cultures
cultural object	objet culturel
cultural policy	politique culturelle
cultural property	bien culturel

cultural property / bien culturel

Objects that are judged by society to be of particular historical, artistic or scientific importance. Cultural property can be classified into two major categories:
1. Movable objects: works of art, artifacts, books, manuscripts and other objects of natural, historical or archaeological origin.
2. Immovable objects: monuments of nature, architecture, art or history, and archaeological sites and structures of historical or artistic interest.

Objet auquel la société attribue une importance particulière d'ordre historique, artistique ou scientifique. Les biens culturels peuvent se répartir en deux catégories principales :
1. Biens meubles : oeuvres d'art, objets façonnés, livres, manuscrits et autres objets d'origine naturelle, historique ou archéologique.
2. Biens immeubles : monuments naturels, architecturaux, artistiques ou historiques, sites archéologiques et constructions d'intérêt historique ou artistique.

Cultural Property Export and Import Act	Loi sur l'exportation et l'importation de biens culturels
cultural remains	vestiges culturels
cultural tourism	tourisme culturel
cultural tradition	tradition culturelle
culture	culture
culture diffusion	diffusion culturelle
culture house; cultural centre	centre culturel; maison de la culture [FRA]
cupola	coupole

curation
SEE curatorship

curator; keeper [GBR] Cf. conservator	conservateur Personne qui guide l'orientation de la collection, dirige le programme des acquisitions et des expositions et assure l'entreposage adéquat des collections.
curatorial assistant	adjoint à la conservation
curatorial staff	conservateurs (plur.)
curatorship; curation The functions of a curator.	conservation Fonctions de conservateur.
curio; curiosity (object)	curiosité (objet)
curio cabinet; curiosity cabinet; cabinet of curiosities NOTE Obsolete terms.	cabinet de curiosités [FRA]; chambre des merveilles; cabinet de raretés [FRA] NOTA Termes désuets.
curiosity (object); curio	curiosité (objet)
currency museum	musée de la monnaie
current art; present-day art	art actuel
custodian; chief curator	conservateur en chef
custodianship	garde (n.f.)
custom Social convention carried on by tradition.	coutume
customs and contraband museum	musée des douanes et de la contrebande
cyclical grouping	ensemble à ordonnance cyclique
cylinder lock	serrure à barillet

d

damage in transit	avarie
damage prevention; prevention of damage	protection contre les dégâts; protection contre les dommages

damaging agent (to objects)	agent de dégradation (d'objets)
damaging effect of climate	effet détériorant du climat
damp climate	climat humide
dance museum	musée de la danse
data management	gestion des données
dating	datation
dating technique	technique de datation
daylight	lumière du jour
deaccession; deaccessioning; deacquisition	aliénation; retrait d'inventaire
Preparatory step to sale, gift, or transfer of a museum object. Cf. disposal	Étape précédant la vente, le don ou le transfert d'un objet de musée.
dead bolt lock; dead lock	serrure à pêne dormant
decentralization	décentralisation
decompartmentalize (the types of works of art)	décloisonner (les genres d'oeuvres d'art)
decontamination (of rooms)	décontamination (de salles)
decoration (in a work of art)	décor; motif décoratif
decorative arts A class of applied arts.	arts décoratifs
decorative arts museum	musée des arts décoratifs
defective display	présentation défectueuse
deficit, in	déficitaire
degradation factor	facteur de dégradation
degree of humidity	taux d'humidité
dehumidification	déshumidification
dehumidifier	déshumidificateur
dehydration	déshydratation

delivery note	récépissé de remise (d'objet)
delivery of finds	remise des objets de fouille
demography of visitors; social structure of visitors	composition sociologique des visiteurs
demonstration (of an experiment, an apparatus, etc.)	démonstration (d'une expérience, d'un appareil, etc.)
demonstration material	matériel de démonstration
demonstration model; functioning model	modèle de démonstration
demonstration room	salle de démonstration
demountable case	vitrine démontable
deposit	dépôt
depositor	dépositaire
depository; archives depository	dépôt d'archives
depreciation Loss in value.	dépréciation Perte de valeur.
depredation	déprédation
desalination; desalinization	dessalement
description (of an object)	description (d'un objet)
descriptive card; descriptive data card	fiche descriptive
descriptive records (pl.)	fichier signalétique
descriptor	descripteur
design (of an exhibition, a showcase, etc.)	conception (d'une exposition, d'une vitrine, etc.)
design (of a poster)	dessin (d'une affiche)
design element	élément structural
designer (of an exhibition)	concepteur (d'une exposition)
desk showcase	vitrine-pupitre
destruction (of cultural property)	destruction (de biens culturels)

destructive agent	agent destructeur
destructive effect	effet destructeur
destructive plant organisms	organismes végétaux destructeurs
detection of forgery	détection de faux
detector	détecteur
deteriorate	se détériorer
deterioration; alteration	altération; dégradation; détérioration Processus ou phénomènes physiques qui ont modifié, d'une manière ou d'une autre, l'état primitif d'une oeuvre.
deterioration prevention; prevention of deterioration	protection contre la dégradation; protection contre les altérations
develop a collection	enrichir une collection
development plan (of a museum)	plan de développement (d'un musée)
dig (familiar); archaeological excavation	fouille archéologique; fouille
diorama	diorama
directed lighting	éclairage dirigé
directional light	lumière orientée
direct light	lumière directe
direct lighting	éclairage direct
director; museum director The chief executive officer in a museum.	directeur; directeur de musée Personne occupant le poste de commande dans un musée.
directory of museums; museum directory; museums directory	répertoire de musées
disabled visitor; handicapped visitor	visiteur handicapé
disaster preparedness	prévention des désastres
discovery room	salle des découvertes

disinfect To destroy harmful germs.	désinfecter Détruire les germes infectieux.
disinfectant	désinfectant
disinfection Destruction of harmful germs.	désinfection Destruction des germes infectieux.
disinfection chamber; disinfection room	chambre de désinfection
disinfection in an oven	désinfection en étuve
disinfection room; disinfection chamber	chambre de désinfection
disinfest To remove pests from.	détruire la vermine
disinfestation Removal of pests from.	déparasitage; destruction de la vermine
dismantling (of an exhibition)	démontage (d'une exposition)
dispersed museum	musée éclaté (néol.)
display (n.) Manner in which objects are displayed.	présentation Manière de présenter des objets.
display SEE exhibit	
display by category	présentation par catégorie
display by technique	présentation par technique
display by type	présentation par genre
display case; showcase	vitrine; vitrine d'exposition
displayed object	objet présenté
display equipment	matériel de présentation
display for the visually impaired	présentation pour malvoyants; présentation pour handicapés visuels
display *in situ*	présentation sur place
display method	méthode de présentation

display of objects	présentation d'objets
display packing case	caisse-vitrine
display panel; exhibition panel	panneau d'exposition
display stand	présentoir
display unit SEE exhibit	
disposal (of a museum object) Cf. deaccession	disposition (d'un objet de musée)
disposition; arrangement (of objects)	disposition (des objets)
distributional study (of objects)	étude de répartition (d'objets)
distribution of space	distribution de l'espace
diurnal range (of temperature)	variation diurne (de température)
division of space; space division	aménagement de l'espace
docent	guide-interprète
document	document
documentalist	documentaliste
documentary investigation	enquête documentaire
documentary materials	documents d'information
documentary record	document sonore
documentation	documentation
documentation centre	centre de documentation
documentation of collections	documentation des collections
document file	dossier de documentation
do-it-yourself workshop	atelier de bricolage
domestic object; household object	objet domestique
dominant architecture; dominating architecture	architecture dominante
donation; gift; contribution	don (en argent ou en nature)

donor	donateur
donor plaque	plaque de donateur
double-loaded system	système à double charge (néol.)
double-stacked	superposé
draft Plan or drawing of a work. Cf. sketch	esquisse; ébauche Plan ou dessin d'un travail.
drafting room; drafting workshop	atelier de dessin
drama museum; theatre museum; dramatic art museum	musée d'art dramatique; musée du théâtre
dramatic art program	programme d'art dramatique
dramatic display	présentation théâtrale
drawing	dessin
dry climate	climat sec
drying	séchage
drying agent	siccatif (n.)
dry pipe (for fire extinguishing)	colonne sèche (pour extinction d'incendie)
dry rot	pourriture sèche
dry stock	produits solides
dummy; mannequin	mannequin
duplicate	duplicata; double
duplicate collection	collection de spécimens en double
duration of visit; length of visit	durée de la visite
dust control	mesures anti-poussière
dust proofing	protection contre la poussière
dust removal	dépoussiérage
dynamic sequence (of objects)	séquence dynamique (d'objets)

e

Earth museum; museum of the Earth	musée de la Terre
earthquake protection; seismic protection	protection contre les tremblements de terre; protection contre les séismes
earth sciences museum; museum of earth sciences	musée des sciences de la terre
easel painting; easel picture Painting of dimensions suitable for framing.	tableau de chevalet Tableau de petite dimension.
ecological display	présentation écologique
ecological exhibition	exposition écologique
ecomuseum; ecology museum	écomusée; musée d'écologie
economy museum	musée d'économie
ectoparasite	ectoparasite
educational activity	activité éducative; action éducative
educational aids	moyens didactiques
educational character (of a museum)	caractère éducatif (du musée)
educational department; education service; educational service	service éducatif; service d'animation
educational display	présentation didactique
educational exhibit	élément d'exposition didactique
educational exhibition	exposition didactique
educational facilities	installations pédagogiques
educational film	film éducatif
educational function; educational role (of a museum)	rôle éducatif (du musée)
educational game	jeu éducatif
educational hanging	accrochage didactique

educational material	matériel éducatif
educational method	méthode éducative
educational model; teaching model	modèle didactique; modèle d'enseignement
educational museum Museum which educates visitors; not to be confused with an "education museum".	musée didactique Musée qui instruit les visiteurs; ne pas confondre avec un «musée de l'enseignement».
educational object	objet éducatif
educational personnel; educational staff	éducateurs; animateurs
educational policy	politique éducative
educational program; education program; learning program	programme éducatif; programme d'animation
educational role; educational function (of a museum)	rôle éducatif (du musée)
educational service; educational department; education service	service éducatif; service d'animation
educational staff; educational personnel	éducateurs; animateurs
education centre	centre d'éducation
education museum; museum of education; museum of pedagogy; pedagogy museum Cf. educational museum	musée de l'enseignement; musée de la pédagogie
education program; educational program; learning program	programme éducatif; programme d'animation
education service; educational service; educational department	service éducatif; service d'animation
educator; museum educator	éducateur; éducateur de musée
effects of weather	effets des intempéries
efflorescence	efflorescence
elaborate signposting	signalisation poussée

38

electricity museum	musée de l'électricité
electronic alarm	alarme électronique
electronics museum	musée de l'électronique
emblem	emblème
emergency treatment; first-aid treatment (of a museum object)	traitement d'urgence (d'un objet de musée)
enclosed museum	musée clos; musée fermé Musée situé dans un espace clos.
endowment SEE foundation	
engraving	gravure
enhance a collection	mettre une collection en valeur
enhancement; setting-off (of a museum object)	mise en valeur (d'un objet de musée)
entertainment-exhibition	exposition-spectacle
entomological specimen	spécimen entomologique
entomology museum	musée d'entomologie
entry; registration; accessioning (of acquisitions)	enregistrement (des acquisitions); inscription sur l'inventaire
environment	1. environnement (à l'extérieur du musée) 2. conditions ambiantes (à l'intérieur du musée)
environmental control; museum environment control	régulation des conditions ambiantes
environmental exhibition	exposition sur l'environnement
equipment 1. supplies, apparatus, etc. 2. installations, machinery, etc.	1. matériel (fournitures, appareils) 2. équipement (installations, machines)
establishment of a museum; foundation of a museum	fondation d'un musée; création d'un musée

estimate; appraisal; valuation; estimated value; appraised value	évaluation; valeur estimée
estimated attendance; expectation of attendance	nombre de visiteurs prévus; nombre de visiteurs attendus; espérance de visite
estimated value; estimate; appraisal; valuation; appraised value	valeur estimée; évaluation
estimation SEE appraisal	
etcher	aquafortiste
etching	eau-forte
ethnic museum	musée d'ethnie
ethnographer	ethnographe
ethnographical museum; museum of ethnography; ethnography museum; ethnographic museum	musée d'ethnographie
ethnographic description	description ethnographique
ethnographic exhibition	exposition ethnographique
ethnographic field work	travail ethnographique sur le terrain
ethnographic museum; ethnographical museum; museum of ethnography; ethnography museum	musée d'ethnographie
ethnographic museum heritage	patrimoine muséal ethnographique
ethnographic object	objet ethnographique
ethnography	ethnographie
ethnography and folklore museum; museum of ethnography and folklore	musée d'ethnographie et de folklore
ethnography museum; ethnographic museum; ethnographical museum; museum of ethnography	musée d'ethnographie
ethnological film	film ethnologique
ethnologist	ethnologue
ethnology	ethnologie

ethnology museum; museum of ethnology	musée d'ethnologie
ethnomusicology	ethnomusicologie
evaluation SEE appraisal	
event	activité; manifestation
examination (of objects)	examen (d'objets)
examination method	méthode d'examen
excavation (archaeological, paleontological, geological, etc.) Cf. dig	fouille (archéologique, paléontologique, géologique, etc.)
excavation area; excavation site	chantier de fouille(s)
excavation campaign	campagne de fouille(s)
excavation director; field director	directeur de fouille(s)
excavation discovery; excavation find	objet de fouille(s)
excavation documentation; excavation records	documentation de fouille(s)
excavation find; excavation discovery	objet de fouille(s)
excavation licence; excavation permit	permis de fouille(s); autorisation de fouille(s)
excavation notebook; field notebook	journal de fouille(s); carnet de fouille(s)
excavation plan	plan de fouille(s)
excavation project	projet de fouille(s)
excavation record; excavation report	compte rendu de fouille(s); rapport de fouille(s)
excavation records; excavation documentation	documentation de fouille(s)
excavation section	coupe de fouille(s)
excavation site; excavation area	chantier de fouille(s)
excavation sketch	relevé de fouille(s)

exchange	échange
exchange agreement	contrat d'échange
exchange collection	collection disponible pour échange
exchange list	liste d'échanges
exhibit (n.); exhibition object (when referring to only one object)	objet exposé; objet d'exposition
exhibit (n.); display (n.); display unit A presentation which can include more than one object or things other than the object itself, such as supports, signage, decoration, etc.	élément d'exposition
exhibit (v.)	exposer
exhibit design; exhibition design	conception d'exposition
exhibit gallery; exhibition gallery; exhibition room	salle d'exposition; galerie d'exposition
exhibition (of objects)	exposition (d'objets)
exhibition aids	moyens d'exposition
exhibition area	aire d'exposition
exhibition brief; exhibition summary; storyline	synopsis d'exposition
exhibition catalogue	catalogue d'exposition
exhibition centre	centre d'exposition
exhibition circuit; exhibition tour (travelling exhibition)	tournée; circuit d'exposition
exhibition concept	concept d'exposition
exhibition coordinator	coordonnateur d'exposition; coordinateur d'exposition
exhibition design; exhibit design	conception d'exposition
exhibition designer	concepteur d'exposition
exhibition duration	durée d'une exposition
exhibition equipment	matériel d'exposition

exhibition exchange	échange d'expositions
exhibition floor plan	plan d'exposition
exhibition floor space	superficie d'exposition
exhibition gallery; exhibition room; exhibit gallery	salle d'exposition; galerie d'exposition
exhibition guide; exhibition handout	guide d'exposition; guide de visite
exhibition hall	hall d'exposition; grande salle d'exposition
exhibition handout; exhibition guide	guide d'exposition; guide de visite
exhibition highlights	objets principaux d'une exposition; objets vedettes
exhibition method; exhibition technique	méthode d'exposition; technique d'exposition
exhibition model	maquette d'exposition
exhibition object; exhibit (n.) (when referring to only one object)	objet d'exposition; objet exposé
exhibition opening; opening of an exhibition Cf. vernissage	inauguration d'une exposition
exhibition organizer	organisateur d'exposition
exhibition panel; display panel	panneau d'exposition
exhibition policy	politique d'exposition
exhibition preparation workshop	atelier de préparation des expositions
exhibition program	programme d'exposition
exhibition project	projet d'exposition
exhibition review	critique d'exposition; compte rendu d'exposition
exhibition room; exhibition gallery; exhibit gallery	salle d'exposition; galerie d'exposition
exhibition space	espace d'exposition
exhibition stand	stand d'exposition

exhibition summary; exhibition brief; storyline	synopsis d'exposition
exhibition team	équipe chargée d'une exposition
exhibition technique; exhibition method	méthode d'exposition; technique d'exposition
exhibition theme	thème d'exposition
exhibition tour; exhibition circuit (travelling exhibition)	tournée; circuit d'exposition
exhibitor	exposant
expectation of attendance; estimated attendance	espérance de visite; nombre de visiteurs attendus; nombre de visiteurs prévus
expedition; field trip (for professionals)	expédition (de découverte, de recherche ou de collecte); mission de terrain
expedition journal	journal d'expédition
experimental exhibition	exposition expérimentale
experimental film	film expérimental
expertise	expertise
explanatory note; explanatory text	note explicative; texte d'accompagnement
export licence; export permit	permis d'exportation
export regulations (for cultural objects)	réglementation de l'exportation (d'objets culturels)
exposure	exposition (aux intempéries, à la lumière)
exposure (of a find)	mise au jour (d'un objet de fouille) À ÉVITER : mise à jour
exposure duration	durée de l'exposition (aux intempéries, à la lumière)
expressive qualities (of a work of art)	qualités expressives (d'une oeuvre)
extension	diffusion externe; vulgarisation
extension activities	activités de vulgarisation

extension officer	agent de diffusion
external screening (of monuments)	protection extérieure (des monuments)
external security; outside security	sécurité à l'extérieur; sécurité extérieure
extinguisher; fire extinguisher	extincteur
extramural exhibition; outside exhibition	exposition extérieure; exposition hors murs; exposition à l'extérieur
extramural services	services hors murs
eye-catcher	point d'attraction
eye-level	hauteur de l'oeil

f

facilities	installations
facsimile	fac-similé
factory museum	musée d'usine
fading	décoloration
fake SEE forgery	
familiar object	objet familier
family group (of visitors)	famille; groupe familial (de visiteurs)
farm museum; agriculture museum; museum of agriculture; agricultural museum	musée agricole; musée d'agriculture
festivals museum	musée des fêtes populaires
field director; excavation director	directeur de fouille(s)
field notebook; excavation notebook	journal de fouille(s); carnet de fouille(s)
field trip; expedition (for professionals)	expédition (de découverte, de recherche ou de collecte); mission de terrain
field trip (for the public)	excursion (pour le public)
field-trip record	rapport de recherche sur le terrain

field work Cf. archaeological field work	travail sur le terrain; terrain
fieldworker	chercheur sur le terrain
figurine	figurine
filing equipment	matériel de classement
film archives (pl.)	archives sur films (plur.)
film collection	collection de films
film library Cf. microfilm library	cinémathèque Endroit où l'on conserve les films de cinéma. NOTA Ne pas confondre avec «filmothèque».
film museum; cinema museum	musée du cinéma
film record	enregistrement sur film
filtered air	atmosphère filtrée
financial aid; financial support	aide financière; appui financier
find (n.)	1. découverte; trouvaille 2. objet de fouille(s)
finds list; record of finds	liste d'objets de fouille(s)
finds notebook; finds register	registre des objets de fouille(s)
findspot	lieu de découverte
finds register; finds notebook	registre des objets de fouille(s)
fine arts	beaux-arts
fine arts museum; museum of fine arts	musée des beaux-arts
fine art trade; art trade Cf. art market	commerce de l'art
fine crafts	métiers d'art
fire alarm	avertisseur d'incendie
fire and theft safety	sécurité vol/incendie

fire damage	dégâts causés par le feu
fire detection	détection d'incendie
fire-detection system	système de détection d'incendie
fire door; fireproof door	porte coupe-feu
fire extinguisher; extinguisher	extincteur
fire-extinguishing equipment	matériel d'extinction
fire-extinguishing gas system	système d'extinction par gaz
fire-extinguishing system	système d'extinction
firefighters' museum; firefighting museum	musée de la lutte contre l'incendie
firefighting	lutte contre l'incendie
firefighting equipment	matériel de lutte contre l'incendie
firefighting museum; firefighters' museum	musée de la lutte contre l'incendie
fire hydrant	bouche d'incendie
fire prevention	prévention d'incendie
fireproof door; fire door	porte coupe-feu
fireproof vault	chambre forte à l'épreuve du feu
fire protection; protection against fire	protection contre l'incendie; protection-incendie
fire-resistant material	matériau ignifuge
fire risk	risque d'incendie
fire route	itinéraire des pompiers
first-aid conservation	traitement de restauration d'urgence
first-aid treatment; emergency treatment (of a museum object)	traitement d'urgence (d'un objet de musée)
first-time visitor; new visitor	nouveau visiteur
fishery museum; fishing museum	musée de la pêche

fit-up (of an exhibition room)	aménagement (d'une salle)
fixed rolled storage (for textiles)	stockage fixe en rouleaux (pour textiles)
flammable product; inflammable product	produit inflammable
flexible exhibition equipment	matériel d'exposition souple
flexible lighting system	installation d'éclairage démontable
flexible modular furniture	éléments modulaires transformables
floodlamp	lampe à réflecteur
flood protection; protection against floods	protection contre les inondations
floor loading; loadbearing capacity of floor	charge maximale admissible au sol
floor plan	plan d'étage
fluorescent lamp	lampe fluorescente
fluorescent lighting NOTE As opposed to "incandescent lighting".	éclairage fluorescent NOTA Par opposition à «éclairage incandescent».
fluorescent strip	rampe fluorescente
foam extinguisher	extincteur à mousse
fogging (of pesticide)	nébulisation (de pesticide)
folder	dépliant
folk art; popular art	art populaire
folk art museum; popular arts museum Cf. folk museum	musée d'art populaire
folk culture	culture traditionnelle; culture populaire
folklore	folklore
folk museum Cf. folk art museum	musée de folklore
folk museum; homeland museum	musée du terroir Musée d'une région rurale.

folk tradition	tradition populaire
foreign visitor	visiteur étranger
forestry museum	musée de la forêt; musée de la foresterie; musée de l'industrie forestière; musée du bois et de la forêt
forgery; fake	faux (n.); contrefaçon Copie d'une oeuvre d'art, entièrement conçue dans l'intention de tromper.
forgery; counterfeiting; forging	contrefaçon Action de contrefaire une oeuvre d'art.
fossil	fossile
foundation Organization administering an endowment or foundation fund.	fondation Organisme administrant un fonds fournissant un revenu à certaines personnes ou à un établissement d'intérêt général.
foundation; endowment Fund, such as a bequest or gift, providing an income for certain persons or for an institution of general interest.	fondation Fonds fournissant un revenu à certaines personnes ou à un établissement d'intérêt général.
foundation museum Museum established with a foundation.	musée de fondation
foundation of a museum; establishment of a museum	fondation d'un musée; création d'un musée
founder	fondateur
foundry museum	musée de la fonderie
frame (of a work of art)	cadre (d'une oeuvre d'art)
framer	encadreur
framing (of a work of art)	encadrement (d'une oeuvre d'art)
free access (to a collection)	libre accès (à une collection)
free admission; free entry	entrée gratuite; entrée libre
freelance curator	conservateur à la pige

free-standing (adj.) (panel, partition)	autoportant (adj.) (panneau, cloison)
free-standing case; standing case; free-standing showcase	vitrine autoportante
frequent visitor; repeat visitor Cf. regular visitors	visiteur assidu
frescoe	fresque
friends of the museum	amis du musée
full-scale model; full-size model	modèle grandeur nature
full sunlight	plein soleil
fumigant Chemical compound used as a disinfectant or pesticide.	fumigant (n.m.) (pesticide)
fumigation	fumigation
fumigation chamber	chambre de fumigation
fumigation treatment	traitement par fumigation
functional flexibility (of a storage area)	flexibilité de fonctionnement (d'une réserve)
functioning model; demonstration model	modèle de démonstration
function of museums; role of museums	rôle des musées; fonction des musées
funding	financement
fund-raising campaign; fund raising	campagne de financement; collecte de fonds
fungicide	fongicide
fungicide spray; atomization of fungicide	vaporisation de fongicide
fungus NOTE Plural: fungi. Cf. mold	champignon Mot générique qui comprend les champignons proprement dits, les moisissures, le mildiou, la rouille, etc.

g

gallery; art gallery
1. A public museum.
2. A place where works of art are exposed and sold.
3. A place where paintings are exposed and sold.

1. musée d'art
2. galerie d'art
3. galerie de peinture; galerie de tableaux

gallery; room
An exhibition room.

salle; galerie
Pièce destinée à la présentation d'objets.

gallery climate; room climate

climat de salle

gallery model; room model

maquette de salle

gallery talk

visite-conférence

game museum

musée des jeux

gap in a collection; lacuna in a collection

lacune dans une collection

garden museum

jardin-musée

gastronomy museum

musée de gastronomie

gemmology museum

musée de gemmologie

general catalogue; main catalogue; central catalogue; main master catalogue

catalogue général; catalogue central

general inventory; main inventory; complete inventory

inventaire général

general public

grand public

general tour

visite générale

geographical display

présentation géographique

geographical exhibition

exposition géographique

geography museum; museum of geography

musée de géographie

geological fieldwork

travail géologique sur le terrain

geologist

géologue

geology	géologie
geology and mineralogy museum; museum of geology and mineralogy	musée de géologie et de minéralogie
geology gallery (room)	galerie de géologie (salle)
geology museum; museum of geology	musée de géologie
gift; donation; contribution	don (en argent ou en nature)
gift agreement	contrat de don
gift form	formule de don
gift with usufruct	don avec usufruit
glass mount	sous-verre
glass museum; museum of glass	musée du verre
glass panel	panneau de verre
glass wall	mur de verre
glassware	verrerie (objets en verre)
glyptothek Museum of engraved stones; not to be confused with "sculpture museum".	glyptothèque Musée de pierres gravées; ne pas confondre avec «musée de sculpture».
gold museum	musée de l'or
goldsmithery Objects manufactured by goldsmiths.	orfèvrerie Objets façonnés par les orfèvres.
gouache	gouache
governing board; board of trustees	conseil d'administration
government funding; public funding	financement public
government funds	fonds du gouvernement; crédit du gouvernement
grant	subvention
graphic arts museum; museum of graphic arts	musée des arts graphiques
grave goods (in a dig or excavation)	mobilier funéraire (dans une tombe suite à des fouilles)

ground cover; vegetal cover (in a park or reserve)	couverture végétale (dans un parc ou une réserve)
ground plan (of a building) NOTE Not to be confused with "floor plan".	plan au sol (d'un bâtiment) NOTA Ne pas confondre avec «plan d'étage».
group exhibition	exposition collective
grouping (of displayed objects)	regroupement (d'objets exposés)
grouping by stage	regroupement par phase
group leader; leader	animateur; animateur de groupe
group of objects	ensemble d'objets
group visit; party visit	visite de groupe
group visitor	visiteur en groupe
guarding	gardiennage
guarding area	aire de gardiennage
guardroom	salle de veille (pour les gardiens)
guards team; watch team	équipe de surveillance
guest curator	conservateur invité
guide (person)	guide (personne)
guidebook	guide Ouvrage plus important qu'une brochure.
guided tour; talking tour	visite guidée; visite commentée
guiding (n.)	guidage

h ───────────────────────────

hall	hall; grande salle
halon system; automatic halon extinguishing system	système au halon; système d'extinction automatique au halon
handicapped visitor; disabled visitor	visiteur handicapé

handicraft(s)	artisanat
handicraft object	objet d'artisanat
handling (of a museum piece, work or object)	manipulation; maniement (d'oeuvre, d'objet, etc.)
handling (storage, shipping, etc.)	manutention
hands-on (display, exhibit, activity, etc.)	tactile; touche-à-tout (présentation, exposition, activité, etc.)
hanging (of a work of art)	accrochage (d'une oeuvre d'art)
hanging groove	rainure d'accrochage
hanging method	méthode d'accrochage
hanging partition	cloison suspendue
hanging plan	plan d'accrochage
hanging rail; sliding rail	rail d'accrochage
hanging storage	réserve suspendue
hanging system	système d'accrochage
harmful product	produit nocif
harmful vapour	vapeur nocive
head conservator; chief restorer; senior restorer; chief conservator	restaurateur en chef; restaurateur principal
health museum	musée de la santé
hearing-impaired visitor; partially-deaf visitor	visiteur malentendant
heating system	installation de chauffage
herbarium NOTE Plural: herbaria.	herbier
heritage (cultural, industrial, natural, public, etc.)	patrimoine (culturel, industriel, naturel, public, etc.)
heritage policy	politique du patrimoine
heritage record holdings	fonds documentaire du patrimoine

Heritage Resources Act	Loi sur les richesses du patrimoine NOTA Loi du Manitoba.
high-density mobile storage system	système mobile de stockage dense
high-density storage	stockage dense
high humidity; abundant moisture	grande humidité
highlight (v.); set off (an object)	mettre (un objet) en valeur
high temperature	température élevée
historic (adj.) (of historical significance)	historique (adj.) (d'intérêt historique)
historical (concerning history)	historique (adj.) (concernant l'histoire)
historical archaeology	archéologie historique
historical display	présentation historique
historical exhibition	exposition historique
historical garden; historic garden	jardin historique
historical interest	intérêt historique
historical interior; historic interior	intérieur historique
historical object	objet historique
historical period museum	musée de période historique
historical research	recherche historique
historical setting	cadre historique
historical study (of works)	étude historique (des oeuvres)
historical survey	enquête historique
historical value; historic value	valeur historique
historic garden; historical garden	jardin historique
historic house	maison historique
historic house museum	maison historique
historic interior; historical interior	intérieur historique

historic monument	monument historique
Historic Preservation Commission; Commission for the Protection of Historic Monuments	Commission pour la protection des monuments historiques
historic site	lieu historique
historic site protection; protection of historic sites	protection des lieux historiques
historic value; historical value	valeur historique
historic village	village historique
history museum; museum of history	musée d'histoire
history of art; art history	histoire de l'art
history of civilizations	histoire des civilisations
history of crafts; crafts history	histoire des métiers
history of religion museum; museum of history of religions	musée d'histoire des religions
history of science and technology museum	musée d'histoire des sciences et techniques
history of science museum; museum of science history	musée d'histoire des sciences
history of technology museum	musée d'histoire des techniques
history of writing museum	musée d'histoire de l'écriture
hoard; cache (in archaeology)	cache (archéologique)
holdings	fonds (sing.)
hologram	hologramme
holographer	holographeur
holographic artwork	oeuvre d'art holographique
holography	holographie
holotype	holotype
homeland museum SEE folk museum	

hood showcase	vitrine-cloche
horizontal screen	écran horizontal
horizontal showcase	vitrine horizontale
horology museum; clockmaking museum	musée de l'horlogerie
horse museum	musée du cheval
hotel and catering museum	musée de l'hôtellerie
household object; domestic object	objet domestique
human remains; remains (pl.)	restes; restes humains (plur.)
humid environment	milieu humide
humidifier	humidificateur
humidity	humidité
humidity control; humidity regulation	régulation de l'humidité
hunting and shooting museum	musée de la chasse
hydrology museum	musée d'hydrologie
hygiene museum	musée de l'hygiène
hygrometer	hygromètre
hygrometric conditions	conditions hygrométriques
hygrometry	hygrométrie
hygrothermograph; thermohygrograph	thermohygrographe; hygrothermographe

i

ichthyology museum	musée d'ichtyologie
ICCROM; International Centre for the Study of the Preservation and the Restoration of Cultural Property; Rome Centre	ICCROM; Centre international d'études pour la conservation et la restauration des biens culturels; Centre de Rome
ICOM; International Council of Museums	Conseil international des musées; ICOM

ICOMOS; International Council of Monuments and Sites	Conseil international des monuments et des sites; ICOMOS
icon	icône
iconographic gallery	galerie iconographique
iconography	iconographie
iconology	iconologie
identification label	étiquette d'identification
identification record	fiche signalétique
identification tag; name tag; badge (for museum staff)	insigne d'identité (pour le personnel de musée)
IIC; International Institute for Conservation; International Institute for Conservation of Historic and Artistic Works	Institut international pour la conservation; IIC; Institut international pour la conservation des objets d'art et d'histoire
illegal acquisition (of a cultural property)	acquisition illégale (d'un bien culturel)
illegal excavation; illicit excavation	fouille clandestine
illicit acquisition (of museum objects)	acquisition illicite (d'objets de musée)
illicit excavation; illegal excavation	fouille clandestine
illicit export (of museum objects)	exportation illicite (d'objets de musée)
illicit import (of museum objects)	importation illicite (d'objets de musée)
illicit traffic (of museum objects)	trafic illicite (d'objets de musée)
illumination (in a manuscript)	enluminure (sur un manuscrit)
illustration	figure; illustration
illustrative material	matériel d'illustration
immovable cultural property	bien culturel immeuble
impact (of an exhibition, etc.)	impact (d'une exposition, etc.)
imperial museum	musée impérial
import regulations (for cultural objects)	réglementation de l'importation (d'objets culturels)

58

inalienability (of a cultural property)	inaliénabilité (d'un bien culturel)
incandescent lighting NOTE As opposed to "fluorescent lighting".	éclairage incandescent NOTA Par opposition à «éclairage fluorescent».
incorporated museum	musée constitué en société
increase in value; appreciation NOTE As opposed to "depreciation".	augmentation de valeur
indefinite loan	prêt à durée illimitée
index card; card	fiche
indicator stand	pupitre indicateur
indirect light	lumière indirecte
indirect lighting	éclairage indirect
individual guided tour	visite guidée individuelle
individual visitor	visiteur isolé
indoor architecture; interior architecture	architecture intérieure
indoor lighting; interior lighting	éclairage intérieur
industrial archaeology	archéologie industrielle
industrial heritage (old machinery, factories, mines, etc.)	patrimoine industriel (machines, usines, mines anciennes)
industrial heritage museum	musée du patrimoine industriel
industrial history museum; museum of industrial history	musée d'histoire industrielle
industrial monument	monument industriel
industrial technology museum; museum of industrial technology	musée de technologie industrielle; musée des techniques industrielles
industry museum; museum of industry; manufacturing industries museum	musée de l'industrie
inertial vibration detector	détecteur inertiel de vibrations
inflammable product; flammable product	produit inflammable

information board; information panel	panneau d'information
information desk	comptoir de renseignements; bureau de renseignements
information panel; information board	panneau d'information
information retention (by visitors)	pouvoir d'assimilation (des visiteurs)
information retrieval	extraction de l'information
information science museum	musée des sciences de l'information
informative role	fonction d'information
informative value (of an object or text)	valeur informative (d'un objet, d'un texte)
infrared detector	détecteur à infrarouge
infrared examination	examen à l'infrarouge
infrared passive detector	détecteur passif à infrarouge
infrared photography	photographie à infrarouge
inheritance; legacy (of collection objects, finds, etc.)	héritage (d'objets de collection, d'un fonds, etc.)
inner case	étui intérieur
inscription (as on a monument, artifact or coin)	inscription (sur un monument, un objet, une pièce de monnaie)
insect attack (of leather objects)	attaque par les insectes (d'objets de cuir)
insecticide	insecticide
insect pest	insecte nuisible
inside lighting (of a display case)	éclairage intérieur (d'une vitrine)
inside volume	volume intérieur
in situ conservation; on site conservation	restauration in situ; restauration sur place
in situ protection	protection in situ; protection sur place
inspection	inspection

inspection of collection; collection control; collection check	vérification de la collection; vérification du fonds
inspection of storage area	inspection des réserves
instal; install	installer
installation	installation Action de monter une exposition.
installation	installation Oeuvre d'art avant-gardiste.
installation plan (of an exhibition)	plan d'installation (d'une exposition)
institute of museology	institut de muséologie
institution	établissement
institutional museum; institution museum Museum supported by a society, an association, an institute, etc.	musée d'institution Musée entretenu ou subventionné par une société, une association, un institut, etc.
insulation	isolation
insurance	assurance
integral presentation	présentation intégrale
integrated display	présentation intégrée
integrated exhibition	exposition intégrée
integrated museum (with society)	musée intégré (avec la société)
intellectual property	propriété intellectuelle
intensive washing	lavage intensif
interdisciplinary exhibition	exposition interdisciplinaire
interdisciplinary exhibition gallery	salle d'exposition interdisciplinaire
interdisciplinary museum	musée interdisciplinaire
interior architecture; indoor architecture	architecture intérieure
interior climate (of the museum)	climat intérieur (du musée)

interior decoration; interior design	décoration intérieure
interior design (arrangement)	aménagement intérieur
interior lighting; indoor lighting	éclairage intérieur
interior protection	protection intérieure
intern	stagiaire
internal security	sécurité intérieure
International Centre for the Study of the Preservation and the Restoration of Cultural Property; ICCROM; Rome Centre	Centre international d'études pour la conservation et la restauration des biens culturels; ICCROM; Centre de Rome
International Council of Monuments and Sites; ICOMOS	Conseil international des monuments et des sites; ICOMOS
International Council of Museums; ICOM	Conseil international des musées; ICOM
international exhibition	exposition internationale
International Institute for Conservation; IIC; International Institute for Conservation of Historic and Artistic Works	Institut international pour la conservation; IIC; Institut international pour la conservation des objets d'art et d'histoire
international inventory	inventaire international
international loan	prêt international
international market (in art)	marché international (de l'art)
international museums day	journée internationale des musées
internship	stage
interpret (v.) (a work of art)	déchiffrer; interpréter (une oeuvre d'art)
interpretation	interprétation
interpretation centre	centre d'interprétation
interpretative (adj.); interpretive (adj.)	didactique (adj.)
interpretative exhibit; interpretive exhibit	élément d'exposition didactique

interpreter (of nature)	interprète; guide-interprète (de la nature)
interpretive (adj.); interpretative (adj.)	didactique (adj.)
interpretive exhibit; interpretative exhibit	élément d'exposition didactique
interpretive message	message didactique; message d'interprétation
interpretive program	programme didactique; programme d'interprétation
interpretive tool	instrument didactique
intervention system	système d'intervention
introduction room; introductory room; orientation room	salle d'introduction; salle d'orientation
introductory exhibition	exposition d'accueil
introductory room; orientation room; introduction room	salle d'introduction; salle d'orientation
introductory text	texte d'introduction
inventory (n.)	inventaire (relevé détaillé)
inventory (v.)	inventorier; dresser l'inventaire
inventory card	fiche d'inventaire
inventory control	vérification d'inventaire
inventory number SEE accession number	
inventory report	rapport d'inventaire
inventory spot check	sondage d'inventaire
inventory system	système d'inventaire
invisible barrier (photoelectric or laser device)	barrière invisible (dispositif photo-électrique ou au laser)
invitation card	carte d'invitation
ironwork museum	musée de la ferronnerie

irreversible restoration	restauration irréversible
island case	vitrine isolée

j

joint exhibition	exposition mixte
junior museum	musée pour les jeunes

k

keeper
SEE curator

key control	contrôle des clés
key element (of a display)	élément-clé (d'une présentation)
kit; teaching kit	mallette didactique; mallette éducative

l

label	étiquette
label design	conception des étiquettes
label holder	porte-étiquette
labelling	étiquetage
laboratory museum	laboratoire-musée
laboratory research	recherche en laboratoire
laboratory supplies (pl.)	matériel de laboratoire
laboratory test	test de laboratoire
labour history museum	musée de la vie ouvrière
labour movements museum; museum of labour movements	musée des mouvements ouvriers

lack of ornamentation (in the display of a museum piece)	dépouillement
	Sobriété de la présentation d'une pièce de musée.
lacuna in a collection; gap in a collection	lacune dans une collection
ladder-access	accès par échelle
lamination (of fragile documents)	plastification (de documents fragiles)
lapidarium; lapidary arts museum	lapidarium; musée lapidaire
large object	objet de grande dimension
laser beam	faisceau laser
lateral lighting	éclairage latéral
layout	agencement général
leader; group leader	animateur; animateur de groupe
leaflet	feuillet
learned society	société savante
learning	apprentissage
learning environment	milieu éducatif
learning program; educational program; education program	programme éducatif; programme d'animation
lecture	conférence
lecture hall; lecture theatre; lecture room	salle de conférence
legacy; inheritance (of collection objects, finds, etc.)	héritage (d'objets de collection, d'un fonds, etc.)
legatee (of a bequest)	légataire (d'un don de succession)
legend; caption	légende
legendary object	objet fabuleux; objet légendaire
lender (of a museum object)	prêteur (d'un objet de musée)
lending agreement; loan agreement	contrat de prêt; entente de prêt

lending service; loan service	service de prêt
length of visit; duration of visit	durée de la visite
lever-type flush bolt	verrou à levier posé à mortaise
liaison team	équipe de liaison
librarian	bibliothécaire
library	bibliothèque
library collection	collection de bibliothèque
library exhibition	exposition en bibliothèque
library materials	documents de bibliothèque
life-size (adj.)	grandeur nature (adj.)
light control	dosage de la lumière
light damage	détérioration par la lumière; dommages causés par la lumière
light distribution	distribution de la lumière
light effect	effet d'éclairage
lighten	alléger
e.g. to lighten the rooms' appearance with a less cluttered display.	p. ex. alléger l'aspect des salles grâce à une présentation moins dense.
lightening (of display)	allégement (de la présentation)
lighting	éclairage
lighting conditions	conditions d'éclairage
lighting fixtures	luminaire
lighting from above; overhead lighting	éclairage par le haut; éclairage zénithal; éclairage vertical
lighting method; lighting technique	technique d'éclairage
lighting quality	qualité de l'éclairage
lighting technique; lighting method	technique d'éclairage
light intensity	intensité lumineuse

light meter; luxmeter	luxmètre
light monitor	contrôleur d'éclairage
light protective glass	verre filtrant
light quality	qualité de la lumière
light source	source lumineuse
lightstrip	rampe lumineuse
limited access gallery	galerie à accès limité
lining (of a painting)	doublage (d'un tableau)
listed buildings area; protected historic district	zone protégée
literature museum; museum of literature	musée de la littérature
live specimen (plant or animal)	spécimen vivant (plante ou animal)
living museum	musée vivant
loadbearing capacity of floor; floor loading	charge maximale admissible au sol
loading dock	plate-forme de chargement
loan (of museum objects)	prêt (d'objets de musée)
loan agreement; lending agreement	contrat de prêt; entente de prêt
loan collection	collection de prêt
loan exhibition	exposition prêtée
loan form	formule de prêt
loan of collection; collection loan	prêt de collection
loan of object; object loan	prêt d'objet
loan period	durée de prêt
loan record; loan register	registre de prêt
loan service; lending service	service de prêt
local control post	poste local de surveillance

local exhibition	exposition locale
local history exhibition	exposition d'histoire locale
local history museum; museum of local history	musée d'histoire locale
local museum; community museum	musée local
local setting	cadre régional
location (of the museum)	emplacement (du musée); adresse
location file	fichier de localisation
location plan (for public's use)	plan (à l'usage du public)
location register	registre topographique
lock	serrure
long-range planning (of a museum development)	planification à long terme (du développement d'un musée)
long-term loan	prêt à long terme
looting; pillage	pillage
lost object; object lost	objet disparu; objet perdu
lounge	salon
low attendance	faible fréquentation
low humidity	faible humidité
low temperature	basse température
luxmeter; light meter	luxmètre

m

magnetic induction system	système à induction magnétique
magnetic relay detector	détecteur à relais magnétique
magnetic tape	bande magnétique
main catalogue; main master catalogue; central catalogue; general catalogue	catalogue central; catalogue général

main inventory; complete inventory; general inventory	inventaire général
main label	étiquette principale
main master catalogue; central catalogue; main catalogue; general catalogue	catalogue central; catalogue général
main route (of visitors)	itinéraire principal; circuit principal (des visiteurs)
maintenance of collections; collection maintenance	entretien des collections
major work	oeuvre majeure
maker's mark; provenance mark	marque d'origine
malacology museum	musée de malacologie
mammalogist	mammalogiste
mannequin; dummy	mannequin
manufacturing date; production date	date de fabrication
manufacturing industries museum; industry museum; museum of industry	musée de l'industrie
manuscript	manuscrit
MAP; Museum Assistance Program NOTE Communications Canada.	PAM; Programme d'appui aux musées NOTA Communications Canada.
map room	cartothèque
marine biology museum; museum of marine biology	musée de biologie marine
marine life museum; museum of marine life	musée de la vie sous-marine
marked circuit	circuit signalisé; circuit fléché
market value	valeur marchande
marking	marquage
mask-mounted drawing	dessin monté sous cache

masterpiece	chef-d'oeuvre NOTA Au pluriel : chefs-d'oeuvre.
mat; passe-partout (used in mounting pictures)	passe-partout
material	1. matériel (objets utilisés) 2. matière (substance)
mathematical science museum	musée des mathématiques
matter of record, be a	être enregistré
matting	pose de passe-partout
meaning (of a work of art, an object, etc.)	signification (d'une oeuvre d'art, d'un objet, etc.)
measuring	mesurage
mechanical protection (of exits)	protection mécanique (des issues)
mechanical room	local technique
mechanical visual aids	auxiliaires visuels mécaniques
medal	médaille
media	média NOTA Au pluriel : médias.
media library; médiathèque NOTE The term "médiathèque" is used at the Canadian Museum of Civilization.	médiathèque
media relations officer	attaché de presse
medical science museum	musée de la médecine
medicine history museum; museum of medicine history	musée d'histoire de la médecine
membership (in a museum friends society)	adhésion (à une société des amis du musée)
memorabilia (pl.)	souvenirs (plur.)
memorial	monument commémoratif

memorial exhibition; commemorative exhibition	exposition commémorative
memorial museum Museum commemorating an event.	musée commémoratif (d'un événement)
memorial plaque; memorial tablet; commemorative plaque	plaque commémorative
memorial room; commemorative room	salle commémorative
memorial site; commemorative site	lieu commémoratif
memorial tablet; commemorative plaque; memorial plaque	plaque commémorative
metal bracket	support en métal; support métallique
metal detector (for security check)	détecteur de métal (pour vérification de sécurité)
metal foil strip	ruban de papier métallique
metal grid	grille métallique
metal grill	grillage métallique
metallic furniture	mobilier métallique
metallurgy museum	musée de la métallurgie
metal shelving	rayons métalliques (plur.); étagères métalliques (plur.); rayonnage métallique
metal strap	bande métallique
meteorology museum	musée de la météorologie
microbiological formation	formation microbiologique
microclimate	microclimat
microclimate control	régulation du microclimat
microfiche	microfiche
microfilm	microfilm
microfilm library Cf. film library	filmothèque Collection de microfilms constituée en dépôt d'archives.

microorganism	microorganisme
microphotograph	microphotographie (image)
microphotography	microphotographie (technique)
microprojector	microprojecteur
microscopy	microscopie
mildew; mold [USA]; mould Cf. fungus	moisissure
military history museum; museum of military history; military museum	musée d'histoire militaire
mill museum (neol.)	moulin-musée (néol.)
mine museum	mine-musée
mineralogy museum; museum of mineralogy	musée de minéralogie
miniature; miniature painting	miniature (n.f.)
mini-exhibition	mini-exposition
mining museum	musée de l'industrie minière; musée de l'exploitation minière
miscellaneous collection	collection mixte
miscellaneous objects	objets hétéroclites
mishandling (of a museum object)	manipulation sans précaution (d'un objet de musée)
missing object	objet manquant
mist	brouillard
mixed media work; multi-media work	oeuvre multimédia
mobile case; mobile showcase; movable showcase	vitrine mobile
mobile hanging storage system (for rolled textiles)	système de penderie mobile; penderie mobile (pour textiles en rouleaux)
mobile laboratory	labobus; laboratoire mobile

mobile museum; museumobile Cf. travelling museum, museum bus	musée sur roues; musée mobile
mobile panel; movable panel	panneau mobile
mobile partition; movable partition	cloison mobile
mobile screen; movable screen	écran mobile
mobile showcase; movable showcase; mobile case	vitrine mobile
mobile unit	module mobile
mobility-impaired visitor	visiteur à mobilité réduite
mock-up (built to scale or at full size)	modèle
model (generally in miniature)	maquette; modèle Représentation à échelle réduite.
model maker	maquettiste
model making	fabrication de maquettes
models workshop	atelier de maquettes
modern art	art moderne
modern art museum; museum of modern art; modern art gallery	musée d'art moderne
modernization (of a display)	modernisation (d'une présentation)
modern work	oeuvre moderne
modifiable exhibition	exposition modifiable
modular exhibition system	système d'exposition modulaire
modular exhibits (pl.)	matériel modulaire d'exposition
module	module
moisture gradient	gradient hygrométrique
mold [USA]; mould; mildew Cf. fungus	moisissure
molding; moulding Cf. casting	moulage

monastery museum	monastère-musée
monitor (measuring apparatus)	moniteur (appareil de mesure)
monitor screen	écran de surveillance
monographic exhibition; monographs exhibition	exposition de monographies
monument	monument
mortice lock; mortise lock	serrure à mortaise
mothproofing	protection contre les mites
mould	moule
mould; mold [USA]; mildew Cf. fungus	moisissure
moulding; molding Cf. casting	moulage
mount; support	support (vertical)
mounted animal	animal naturalisé
mounting (of a dead animal or a plant, for exhibition)	naturalisation (d'animaux ou de plantes)
mounting technique	technique de montage
movable cultural property	bien culturel meuble
movable panel; mobile panel	panneau mobile
movable partition; mobile partition	cloison mobile
movable screen; mobile screen	écran mobile
movable showcase; mobile showcase; mobile case	vitrine mobile
movement of visitors	déplacement des visiteurs
movie loan	prêt de film
movie room; cinema hall	cinéma; salle de cinéma
multidisciplinary museum	musée pluridisciplinaire; musée multidisciplinaire

multi-media work; mixed media work	oeuvre multimédia
multi-purpose hall; multi-purpose room	salle polyvalente
multi-purpose services	services polyvalents
municipal art gallery; municipal art museum; municipal gallery	musée d'art municipal
municipal history museum; town history museum	musée d'histoire de la ville; musée d'histoire municipale
municipal museum; city museum	musée municipal
mural; wall painting	peinture murale
museobus; museum bus
Cf. mobile museum, travelling museum	muséobus
museobus circuit	circuit de muséobus
museographer (ncol.)
Specialist in museography.
NOTE Not to be confused with "museologist".	muséographe (néol.)
Spécialiste de la muséographie.
NOTA Ne pas confondre avec «muséologue».
museographical (neol.)	muséographique
museographical technique	technique muséographique
museography
Techniques and methods used in the classification and display of museum objects.	muséographie
Techniques et méthodes de présentation et de classification des objets de musée.
museological (adj.)	muséologique (adj.)
muscological dictionary; museology dictionary	dictionnaire muséologique
museological literature	publications muséologiques (plur.)
museologist
Specialist in museology.
NOTE Not to be confused with "muscographer".	muséologue
Spécialiste de la muséologie.
NOTA Ne pas confondre avec «muséographe».

museology	muséologie
Science or study concerned with the management, organization and equipment of museums.	Science ou étude s'occupant de la gestion, de l'organisation et de l'équipement des musées.
museology centre	centre de muséologie; centre d'enseignement muséologique
museology dictionary; museological dictionary	dictionnaire muséologique
museology teaching; teaching of museology	muséo-pédagogie
museum administration	administration de musée
museum architect	architecte de musée
museum architecture	architecture muséale; architecture de musée
Museum Assistance Program; MAP NOTE Communications Canada.	Programme d'appui aux musées; PAM NOTA Communications Canada.
museum association Cf. museums association	association de musée
museum atmosphere	atmosphère muséale
museum audience; museum-going public; museum public	public des musées; clientèle des musées
museum beetle SEE anthrenus museorum	
museum building	bâtiment de musée
museum bus; museobus Cf. mobile museum, travelling museum	muséobus
museum-by-television; televised museum	musée télévisé
museum career	carrière muséale
museum category	catégorie de musée
museum club	club de musée
museum collection	collection de musée; collection muséale

museum community	communauté muséale
museum complex	complexe de musées; complexe muséal
museum cooperation	coopération entre musées
museum culture	culture muséale
museum databank	banque de données de musée
museum day; museums day	journée des musées
museum department	département de musée
museum development; museum growth	développement des musées
museum devoted to a particular artist	musée d'artiste
museum director SEE director	
museum directory; museums directory; directory of museums	répertoire de musées
museum documentation centre	centre de documentation muséographique
museum educator; educator	éducateur de musée; éducateur
museum environment SEE environment	
museum environment control; environmental control	régulation des conditions ambiantes
museum equipment SEE equipment	
museum-going public; museum public; museum audience	public des musées; clientèle des musées
museum growth; museum development	développement des musées
museum heritage	patrimoine muséal
museum history	histoire des musées
museum house	maison-musée
museum island	île-musée
museum kit	muséotrousse

museum legislation	législation sur les musées
museum library	bibliothèque de musée
museum literature	publications muséographiques (plur.)
museum management	gestion de musée; gestion muséale
museum methodology	méthodologie muséale
museum needs; needs of museums	besoins muséographiques
museumobile; mobile museum Cf. travelling museum, museum bus	musée sur roues; musée mobile
museum object	objet de musée
museum of agricultural implements; agricultural implements museum	musée d'instruments aratoires; musée d'instruments agricoles; musée d'outils agricoles; musée de l'outillage agricole
museum of agriculture; agricultural museum; agriculture museum; farm museum	musée agricole; musée d'agriculture
museum of animal paleontology; animal paleontology museum	musée de paléontologie animale
museum of anthropology; anthropology museum	musée d'anthropologie
museum of antiques; antiques museum	musée d'antiquités
museum of applied arts; applied arts museum	musée des arts appliqués
museum of archaeology; archaeology museum; archaeological museum	musée d'archéologie
museum of architecture; architecture museum; architectural museum	musée d'architecture
museum of art; art museum	musée d'art
museum of art and archaeology; art and archaeology museum	musée d'art et d'archéologie
museum of biology; biology museum	musée de biologie
museum of botany; botanical museum; botany museum	musée de botanique

museum of casts and reproductions; casts and reproductions museum	musée de moulages et de reproductions
museum of construction and buildings; construction and buildings museum	musée de la construction et du bâtiment
museum of contemporary art; contemporary art museum	musée d'art contemporain
museum of contemporary history; contemporary history museum	musée d'histoire contemporaine
museum of cultural history; cultural history museum	musée d'histoire culturelle
museum of earth sciences; earth sciences museum	musée des sciences de la terre
museum of education; pedagogy museum; museum of pedagogy; education museum Cf. educational museum	musée de l'enseignement; musée de la pédagogie
museum of ethnography; ethnography museum; ethnographic museum; ethnographical museum	musée d'ethnographie
museum of ethnography and folklore; ethnography and folklore museum	musée d'ethnographie et de folklore
museum of ethnology; ethnology museum	musée d'ethnologie
museum of fine arts; fine arts museum	musée des beaux-arts
museum of folk art and traditions; museum of popular arts and traditions; popular arts and traditions museum	musée des arts et traditions populaires
museum of geography; geography museum	musée de géographie
museum of geology; geology museum	musée de géologie
museum of geology and mineralogy; geology and mineralogy museum	musée de géologie et de minéralogie
museum of glass; glass museum	musée du verre
museum of graphic arts; graphic arts museum	musée des arts graphiques

museum of history; history museum	musée d'histoire
museum of history of religions; history of religion museum	musée d'histoire des religions
museum of industrial history; industrial history museum	musée d'histoire industrielle
museum of industrial technology; industrial technology museum	musée des techniques industrielles; musée de technologie industrielle
museum of industry; industry museum; manufacturing industries museum	musée de l'industrie
museum of labour movements; labour movements museum	musée des mouvements ouvriers
museum of literature; literature museum	musée de la littérature
museum of local history; local history museum	musée d'histoire locale
museum of marine biology; marine biology museum	musée de biologie marine
museum of marine life; marine life museum	musée de la vie sous-marine
museum of maritime trade history	musée d'histoire du commerce maritime
museum of medicine history; medicine history museum	musée d'histoire de la médecine
museum of military history; military history museum; military museum	musée d'histoire militaire
museum of mineralogy; mineralogy museum	musée de minéralogie
museum of models	musée de modèles; musée de maquettes
museum of modern art; modern art museum; modern art gallery	musée d'art moderne
	À ÉVITER : musée d'art contemporain
museum of music; music museum	musée de la musique
museum of music and musical instruments; music and musical instruments museum	musée de la musique et des instruments de musique

museum of music history; music history museum; museum of musical history	musée d'histoire de la musique
museum of natural sciences; museum of natural history; natural history museum	musée des sciences naturelles; musée d'histoire naturelle
museum of paleontology; paleontology museum	musée de paléontologie
museum of pedagogy; pedagogy museum; museum of education; education museum Cf. educational museum	musée de l'enseignement; musée de la pédagogie
museum of performing arts; performing arts museum	musée des arts du spectacle
museum of photography and cinema; photography and cinema museum	musée de la photographie et du cinéma
museum of physical anthropology; physical anthropology museum	musée d'anthropologie physique
museum of popular arts and traditions; popular arts and traditions museum; museum of folk art and traditions	musée des arts et traditions populaires
museum of prehistoric archaeology; prehistoric archaeology museum	musée d'archéologie préhistorique
museum of printing; printing museum	musée de l'imprimerie
museum of religious art; religious art museum; museum of sacred art; sacred art museum	musée d'art religieux; musée d'art sacré
museum of science; science museum	musée des sciences
museum of science and technology; science and technology museum	musée des sciences et des techniques; musée des sciences et de la technologie
museum of science history; history of science museum	musée d'histoire des sciences
museum of sculpture; sculpture museum	musée de sculpture
museum of social sciences; social science museum	musée des sciences sociales

museum of soil products; soil products museum	musée des produits du sol
museum of the Earth; Earth museum	musée de la Terre
museum of town planning; town planning museum	musée de l'urbanisme
museum of vegetal and animal paleontology; vegetal and animal paleontology museum	musée de paléontologie végétale et animale
museum of vegetal paleontology; vegetal paleontology museum; paleobotanical museum	musée de paléontologie végétale
museum of wine; wine museum	musée du vin; musée oenologique
museum of zoology; zoology museum	musée de zoologie
museum on rails	train-musée
museum organization; organization of museums	organisation des musées
museum outreach; outreach	activités de diffusion externe
museum personnel; museum staff	personnel de musée; personnel muséal
museum philosophy	philosophie muséale; philosophie des musées
museum policy	politique du musée
museum practice; museum work experience	expérience du travail de musée
museum profession	profession muséale
museum professional	spécialiste de musée
museum profile	profil de musée
museum program	programme de musée
museum programming	programmation de musée
museum property	bien de musée
museum public; museum audience; museum-going public	public des musées; clientèle des musées

museum-quality object; object of museum value	objet muséal
museum rationalization	rationalisation muséographique
museum-related (adj.)	muséal (adj.) NOTA S'il y a lieu, utiliser «de musée» à la place.
museum reorganization	réorganisation du musée
museum research	recherche muséale
museums association	association de musées
museums day; museum day	journée des musées
museums directory; directory of museums; museum directory	répertoire de musées
museum services	services du musée
museum shop	boutique de musée
museum space	espace muséal
museum space arrangement; arrangement of museum space	aménagement de l'espace muséal
museum staff; museum personnel	personnel de musée; personnel muséal
museum standard	norme de musée
museum statutes; statutes	statuts (de musée)
museum studies	études muséales
museums week; museum week	semaine des musées
museum technique	technique muséologique
museum tour; museum visit	visite de musée
museum town	ville-musée
museum training	formation muséologique; formation muséale
museum use	utilisation des musées
museum user	usager de musée; client de musée

museum visit; museum tour	visite de musée
museum visiting	fréquentation des musées
museum visitor	visiteur de musée
museum week; museums week	semaine des musées
museum without walls	musée sans murs
museum work experience; museum practice	expérience du travail de musée
museum workshop	atelier de musée
musical activity	activité musicale
musical background	fond musical
music and musical instruments museum; museum of music and musical instruments	musée de la musique et des instruments de musique
music history museum; museum of music history; museum of musical history	musée d'histoire de la musique
music museum; museum of music	musée de la musique

n

name tag; identification tag; badge (for museum staff)	insigne d'identité (pour le personnel de musée)
national archives (pl.)	archives nationales (plur.)
National Aviation Museum	Musée national de l'aviation
national collection	collection nationale
National Collection of Invertebrate and Plant Fossils	Collection nationale de fossiles de plantes et d'invertébrés
national exhibition centre	centre national d'exposition
National Forestry Collection	Collection nationale de la foresterie
National Gallery of Canada	Musée des beaux-arts du Canada NOTA Ancien nom : Galerie nationale du Canada.

national inventory (of cultural objects, collections, sites, etc.)	répertoire national (d'objets culturels, de collections, de sites, etc.)
National Medal Collection	Collection nationale de médailles
national memorial site	lieu commémoratif national
national museum	musée national
National Museum of Man SEE Canadian Museum of Civilization	
National Museum of Natural Sciences	Musée national des sciences naturelles
National Museum of Science and Technology	Musée national des sciences et de la technologie
National Museums Act	Loi sur les musées nationaux
national museums policy	politique nationale des musées
national park museum	musée de parc national
National Parks Act	Loi sur les parcs nationaux
National Postal Museum	Musée national des postes
National Reserve Collection	Collection nationale de réserve
native (adj.) (arts, traditions, idioms, etc.)	autochtone (adj.) (arts, traditions, langues, etc.)
Native Peoples Hall	Salle des autochtones
natural environment	contexte naturel; environnement naturel
natural heritage	patrimoine de nature; patrimoine naturel
natural history museum; museum of natural sciences; museum of natural history	musée de sciences naturelles; musée d'histoire naturelle
natural light	lumière naturelle
natural lighting	éclairage naturel
natural reserve	réserve naturelle
natural setting	décor naturel

natural specimen; nature specimen	spécimen naturel
nature centre; countryside centre	centre d'interprétation de la nature; centre d'initiation à la nature
nature interpretation; countryside interpretation	interprétation de la nature
nature specimen; natural specimen	spécimen naturel
nature trail	sentier d'interprétation de la nature; sentier d'initiation à la nature
naval museum	musée d'histoire de la marine; musée de la marine
needs assessment	évaluation des besoins (du musée, du public, etc.)
needs of museums; museum needs	besoins muséographiques
neglect (of an object)	négligence; mauvais entretien (d'un objet)
neighbourhood museum	musée de quartier
newsletter; bulletin	bulletin
new visitor; first-time visitor	nouveau visiteur
night guard; night watchman	veilleur de nuit; gardien de nuit
noise control	mesures anti-bruit
noise level	niveau de bruit
non-museum setting	cadre non muséal
non-profit organization; not-for-profit organization	organisme sans but lucratif; organisme à but non lucratif
non-verbal approach	approche non verbale
non-visitor survey	enquête sur le non-public
not-for-profit organization; non-profit organization	organisme sans but lucratif; organisme à but non lucratif
notification of missing object	déclaration de perte

nuclear energy museum; nuclear science museum; atomic energy museum	musée de la science nucléaire; musée de l'énergie atomique; musée de l'énergie nucléaire
Nucléart process (using radiation)	procédé Nucléart (utilisant un rayonnement)
numbering (of objects)	numérotage (des objets)
numbering system	système de numérotage
numismatic gallery; coins and medals room; numismatic room; coins and medals gallery	galerie des monnaies et médailles; salle des monnaies et médailles; cabinet des monnaies et médailles [FRA]
numismatic museum	musée de numismatique
numismatic room; coins and medals gallery; numismatic gallery; coins and medals room	galerie des monnaies et médailles; salle des monnaies et médailles; cabinet des monnaies et médailles [FRA]

O

object documentation	documentation d'objet
object identification	identification d'objet
object loan; loan of object	prêt d'objet
object lost; lost object	objet disparu; objet perdu
object message	message de l'objet
object of museum value; museum-quality object	objet muséal
object stolen; stolen object	objet volé
object type; type of object	type d'objet
obliteration (of a site)	disparition (d'un site)
occasional visitor	visiteur occasionnel
oceanography museum	musée d'océanographie
officer (in a museum)	agent (dans un musée)
office staff; clerical staff	personnel de bureau
oil museum; petroleum museum	musée du pétrole

old building	bâtiment ancien
oldness; age (of a work of art)	ancienneté (de l'oeuvre)
one-man exhibition; solo show	exposition solo
on site conservation; in situ conservation	restauration in situ; restauration sur place
opaque screen	écran opaque
open-air display; outdoor display	présentation en plein air
open-air exhibition	exposition de plein air
open-air museum	musée de plein air Parc où sont reconstitués des villages formés de maisons anciennes transportées.
open design	concept ouvert
open diorama	diorama ouvert
open display	présentation libre
open house	journée portes ouvertes; journée d'accueil
opening detector	détecteur d'ouverture
opening hours; visiting hours	heures d'ouverture
opening of an exhibition; exhibition opening	inauguration d'une exposition
open museum	musée ouvert (néol.)
open shelving; open-shelving system	système de rayonnage ouvert
open storage	réserve accessible
optics museum	musée d'optique
optimum use of space	utilisation optimale de l'espace
oral history	histoire orale
oral tradition	tradition orale
organization chart (of a museum)	organigramme (de musée)

organization of museums; museum organization	organisation des musées
organized museum tour	visite de musée organisée
orientation board; orientation panel	panneau d'orientation
orientation centre	centre d'orientation
orientation panel; orientation board	panneau d'orientation
orientation room; introductory room; introduction room	salle d'introduction; salle d'orientation
orientation text	texte d'orientation
original (n.)	pièce originale; original (n.)
original object	objet original
outdoor display; open-air display	présentation en plein air
outdoor exhibit	objet exposé en plein air
outdoor lighting; outside lighting	éclairage extérieur
outdoor storage	réserve à ciel ouvert
outer protection	protection extérieure
outreach; museum outreach	activités de diffusion externe
outreach program	programme de diffusion externe
outside activities	activités extérieures; activités hors murs
outside collaborator	collaborateur de l'extérieur
outside exhibition; extramural exhibition	exposition extérieure; exposition hors murs; exposition à l'extérieur
outside lighting; outdoor lighting	éclairage extérieur
outside security; external security	sécurité à l'extérieur; sécurité extérieure
outside services (for the public)	services extérieurs (à la disposition du public)
outside work	travail hors murs
outstanding work	oeuvre marquante

overall funding	financement global
overall policy	politique générale
overcrowding; overvisiting	fréquentation excessive
overhead lighting; lighting from above	éclairage par le haut; éclairage zénithal; éclairage vertical
overvisiting; overcrowding	fréquentation excessive
owner consent	consentement du propriétaire
ownership	propriété

p

packaging technique	technique d'emballage
packing	emballage
packing case	caisse d'emballage
packing material	produit d'emballage
packing room	salle d'emballage
pad	coussinet; tampon
padded trolley	chariot rembourré
padding	rembourrage
padlock	cadenas
painting	peinture
paintings conservator	restaurateur de tableaux
paintings exhibition	salon de peinture
paintings gallery; picture gallery	musée de peinture; pinacothèque
paintings maintenance	entretien des peintures; entretien des tableaux
paintings restoration	restauration des peintures
painting workshop	atelier de peinture

palaeontology; paleontology	paléontologie
paleobiology	paléobiologie
paleobotanical museum; vegetal paleontology museum; museum of vegetal paleontology	musée de paléontologie végétale
paleobotany	paléobotanique
paleography	paléographie
paleomycology	paléomycologie
paleontology; palaeontology	paléontologie
paleontology museum; museum of paleontology	musée de paléontologie
paleozoology	paléozoologie
palletizing	palettisation
palynology
The study of pollen.	palynologie
Étude des pollens.
pamphlet	brochure
panel	panneau
panel display case	vitrine-panneau
panel exhibition	exposition sur panneaux
panel painting	peinture sur bois
panorama	panorama
paper painting	peinture sur papier
papyrology	papyrologie
parasite	parasite
partially-deaf visitor; hearing-impaired visitor	visiteur malentendant
participatory exhibition	exposition avec participation du visiteur
partition	cloison
partition display case	vitrine-cloison

party visit; group visit	visite de groupe
pass; permit (granting entry to a museum)	laissez-passer (d'entrée au musée)
passe-partout; mat (used in mounting pictures)	passe-partout
patron (of the arts) Cf. sponsor	mécène; protecteur (des arts)
patronage Cf. sponsorship	mécénat
pavilion museum	musée pavillonnaire
peak hours	heures d'affluence
pedagogy museum; museum of education; museum of pedagogy; education museum Cf. educational museum	musée de l'enseignement; musée de la pédagogie
pedestal; base (of a statue, etc.)	socle
pediment	fronton
pegboard	panneau alvéolé
perforated sheet metal panel	panneau en tôle perforée
performing arts museum; museum of performing arts	musée des arts du spectacle
perimeter detection	détection périphérique
perimeter protection; protection of perimeter (of a museum)	protection périphérique (du musée)
period display	présentation d'époque
period house	demeure d'époque
period room	salle d'époque
permanent collection	collection permanente
permanent display	présentation permanente
permanent exhibition	exposition permanente

permanent exhibition hall; permanent exhibition room	salle des expositions permanentes
permanent installation (of a collection)	installation permanente (d'une collection)
permission to photograph	autorisation de photographier
permit; pass (granting entry to a museum)	laissez-passer (d'entrée au musée)
personnel; staff	personnel
personnel security; security of personnel	sécurité du personnel
pest	1. animal nuisible 2. insecte nuisible 3. plante nuisible
pest control	lutte contre les insectes
pesticide (against harmful animals or plants)	pesticide (contre les animaux ou les plantes nuisibles)
petrifact	objet pétrifié
petroleum museum; oil museum	musée du pétrole
pharmaceutical museum [GBR]; pharmacology museum [USA]; pharmacy museum	musée de la pharmacie
philately museum	musée de philatélie
philosophy museum	musée de philosophie
photo-electric cell	cellule photo-électrique
photograph exhibition	exposition de photographies
photographic archives (pl.)	archives photographiques (plur.)
photographic department; photographic services department; photography department	service photographique
photographic document	document photographique
photographic documentation	documentation photographique
photographic inventory	inventaire photographique

photographic library	photothèque
photographic materials	documents photographiques
photographic record	enregistrement photographique
photographic services department; photography department; photographic department	service photographique
photographic studio	atelier photographique
photographic surveillance system	système de surveillance photographique
photographic technique of examination	technique photographique d'examen
photography and cinema museum; museum of photography and cinema	musée de la photographie et du cinéma
photography copyright	droits de photographie
photography department; photographic department; photographic services department	service photographique
photography museum	musée de la photographie; musée de la photo
photomontage	photomontage
physical anthropology	anthropologie physique
physical anthropology museum; museum of physical anthropology	musée d'anthropologie physique
physical environment	milieu physique
physically-handicapped visitor	visiteur handicapé physique
physical method of examination	méthode physique d'examen
physical planning	conception spatiale
physical security	sécurité physique
physical treatment (for restoration)	traitement physique (aux fins de restauration)
physics museum	musée de la physique

pictogram; pictograph A pictorial symbol.	pictogramme Dessin très simplifié qui désigne un objet à la place de mots.
pictorial archives (pl.) Cf. photographic archives	archives de l'image (plur.)
pictorial records	documentation illustrée
picture gallery; painting gallery	musée de peinture; pinacothèque
picture library	iconothèque
picture moulding; picture rail	cimaise (pour accrocher les peintures)
pillage; looting	pillage
pipe framework (of panel)	cadre tubulaire (de panneau)
place (of a work of art)	emplacement (d'une oeuvre d'art)
place of culture	lieu culturel
place of information	lieu d'information
placing; positioning (of objects)	mise en place (d'objets)
planetarium	planétarium
planning	planification
plaster (for castings)	plâtre (pour moulages)
plaster cast; plaster impression	moulage en plâtre
plasticizer (n.)	plastifiant (n.m.)
plastics storage	dépôt des plastiques
plastic wire mesh shelving	rayons (plur.) en treillis de plastique; étagères (plur.) en treillis de plastique
platform; podium	estrade
platform (for storage)	plate-forme; plateau (de stockage)
plumbers' pipe system (for display panels)	montants et traverses tubulaires (pour panneaux)
podium; platform	estrade

pogo-stick (for screen or panel)	montant à ressort (pour écran ou panneau)
point detection	détection ponctuelle
police museum	musée de la police
political science museum	musée de science politique
polychrome sculpture	sculpture polychrome
popular architecture	architecture populaire
popular art; folk art	art populaire
popular arts and traditions museum; museum of popular arts and traditions; museum of folk art and traditions	musée des arts et traditions populaires
popular arts museum; folk art museum	musée d'art populaire
popularization of science	vulgarisation scientifique
popular science exhibition	exposition de vulgarisation scientifique
popular traditions museum	musée des traditions populaires
portable collection	collection portative
portable display case; travelling display case; portable showcase	vitrine portative
portable exhibition	exposition portative
portable fire extinguisher	extincteur portatif
portable showcase; portable display case; travelling display case	vitrine portative
portrait exhibition room	salle de portraits; cabinet de portraits [FRA]
portrait gallery	galerie de portraits
positioning; placing (of objects)	mise en place (d'objets)
postal museum	musée de la poste; musée des postes
poster	affiche
potassium-argon dating	datation au potassium-argon

potential public	public potentiel
powder extinguisher	extincteur à poudre
prehistoric archaeology museum; museum of prehistoric archaeology	musée d'archéologie préhistorique
prehistoric exhibition	exposition préhistorique
prehistory museum	musée de la préhistoire
prepacked exhibition	exposition pré-emballée (néol.)
preparation for transport	préparatifs (plur.) pour le transport
preparation of exhibitions	préparation d'expositions
preparation record	dossier de préparation
preparation technique	technique de préparation
preparation workshop	atelier de préparation
preparator (of specimens, etc.)	préparateur (de spécimens, etc.)
preparatory work	travaux préparatoires
prepared specimen	spécimen préparé
present-day art; current art	art actuel

preservation
All actions taken to retard deterioration of, or to prevent damage to, cultural property. Preservation involves controlling the environment and conditions of use, and may include treatment in order to maintain cultural property, as nearly as possible, in an unchanging state.

préservation
Toutes les mesures destinées à retarder la détérioration d'un bien culturel ou à prévenir les accidents qui les guettent. Cela comprend le contrôle des conditions ambiantes et des conditions d'utilisation et peut aller jusqu'au traitement destiné à maintenir, dans toute la mesure du possible, la stabilité d'un bien culturel.

preserve; reserve	réserve (naturelle, d'oiseaux, d'animaux sauvages, etc.)
preserving liquid	liquide de conservation
press museum	musée de la presse
pressure-sensitive underground cable (security term)	câble souterrain sensible à la pression (terme de sécurité)

prestige collection	collection de prestige
prevention of damage; damage prevention	protection contre les dégâts; protection contre les dommages
prevention of deterioration; deterioration prevention	protection contre la dégradation; protection contre les altérations
prevention of risks; risk prevention	protection contre les risques
prevention of vandalism; protection against vandalism	protection contre le vandalisme
preventive conservation	conservation préventive
All actions taken to retard deterioration and prevent damage to cultural property through the provision of optimal conditions of storage, use and handling.	Toutes les mesures destinées à retarder la détérioration d'un bien culturel et à prévenir les accidents qui les guettent, en assurant les conditions optimales de mise en réserve, d'utilisation et de manutention.
preventive measures	mesures préventives
preventive treatment	traitement préventif
print	estampe; gravure
printed catalogue	catalogue imprimé
printing museum; museum of printing	musée de l'imprimerie
print room	salle des estampes; cabinet des estampes [FRA]
private collection	collection privée
private collector	collectionneur privé
private donation	don de particuliers
private foundation	fondation privée
private foundation museum	musée de fondation privée
private funding	financement privé
private museum	musée privé
NOTE As opposed to "public museum".	NOTA Par opposition à «musée public».
probe method; prospection method	méthode de sondage

production date; manufacturing date	date de fabrication
professionally guided tour	visite guidée par un spécialiste
program (v.) (acquisitions)	programmer (des acquisitions)
programming (of an exhibition)	programmation (d'une exposition)
program of museum events	programme d'activités muséales
projection *in situ*	projection sur place
projection program; projection show	séance de projection

projection room
1. A room in which movie projectors are located.
2. A room in which movies are projected.

1. cabine du projectionniste
   Endroit où se trouvent les projecteurs de film.
2. salle de projection

projection show; projection program	séance de projection
prospection method; probe method	méthode de sondage
protect (collections)	protéger (les collections)
protected area	territoire protégé
protected historic district; listed buildings area	zone protégée
protected monument	monument protégé
protection (of objects, sites, heritages, monuments, etc.)	protection (des objets, des sites, des patrimoines, des monuments, etc.)
protection against corrosion	protection contre la corrosion
protection against fire; fire protection	protection contre l'incendie; protection-incendie
protection against floods; flood protection	protection contre les inondations
protection against heat	protection contre la chaleur
protection against humidity	protection contre l'humidité
protection against light	protection contre la lumière

protection against noise	protection contre le bruit
protection against pests; protection from pests	protection contre les insectes nuisibles
protection against theft; theft prevention	protection contre le vol
protection against vandalism; prevention of vandalism	protection contre le vandalisme
protection against vibration	protection contre les vibrations
protection device	dispositif de protection
protection from pests; protection against pests	protection contre les insectes nuisibles
protection of historic sites; historic site protection	protection des lieux historiques
protection of perimeter; perimeter protection (of a museum)	protection périphérique (du musée)
protection of sites; site protection	protection des sites
protective measures	mesures de protection
protective substance	substance protectrice
protective surface coating	enduit protecteur
protective treatment	traitement protecteur
provenance mark; maker's mark	marque d'origine
provincial museum	musée provincial; musée de province
provisional hanging; trial hanging; spotting [USA] (of paintings)	accrochage provisoire
provisional numbering; temporary numbering	numérotage provisoire
psychology and psychiatry museum	musée de psychologie et de psychiatrie
publications department	service des publications
publications policy	politique des publications
public category	catégorie de public

public collection	collection publique
public funding; government funding	financement public
public funds (pl.)	fonds publics (plur.)
public heritage	patrimoine public
public image (of the museum)	image (du musée) auprès du public
publicity museum	musée de la publicité
public museum NOTE As opposed to "private museum".	musée public NOTA Par opposition à «musée privé».
public participation (in museum activities)	participation du public (aux activités muséales)
public relations	relations publiques
public relations officer	relationniste
public's needs; public's requirements	besoins du public
public's opinion	opinion du public
public's requirements; public's needs	besoins du public
public's safety	sécurité du public
public support	appui du public
public works museum	musée des travaux publics
pupil (of a master) e.g. in painting.	élève (d'un maître) p. ex. en peinture.
purchase campaign	campagne d'achat
purchasing policy; acquisition policy; acquisitions policy	politique d'achat; politique d'acquisition
push-button experiment Cf. hands-on	expérience presse-bouton (néol.)

q

quality criterium	critère de qualité

101

r

radiation heating	chauffage par rayonnement
radiation treatment	traitement par rayonnement
radiocarbon dating; carbon dating; carbon 14 dating	datation au radiocarbone; datation au carbone 14
radio link (with the police)	liaison radio (avec la police)
railway museum	musée ferroviaire
rare books library	bibliothèque de livres rares
rarity	1. objet rare; pièce rare 2. rareté
rarity value	valeur de rareté
RCMP Museum; Royal Canadian Mounted Police Museum	Musée de la GRC; Musée de la Gendarmerie royale du Canada NOTA Se trouve à Régina.
reading (of the object)	lecture (de l'objet)
reading room	salle de lecture
rearrangement of collections; reinstallation of collections; reorganization of collections	réagencement des collections; réorganisation des collections
receiving area	aire de réception
receiving museum	musée d'accueil
reception personnel	personnel d'accueil
reception room	salle d'accueil
reception service	service d'accueil
recipient (of an exhibition)	destinataire (d'une exposition)
reconstructed village	village reconstruit

reconstruction

All actions taken to recreate, in whole or in part, a cultural property, based upon historical, literary, graphic, pictorial, archaeological and scientific evidence. Reconstruction is aimed at promoting an understanding of a cultural property, and is based on little or no original material but clear evidence of a former state.

recorded commentary (about an exhibit)

recorded tour; audioguided tour; audiotour

recording

recording system

record library

record of finds; finds list

records management

records system

reference collection

reference file

reference material

reference object

reference service

regional ethnology

regional museum

register

registrar

registration; accessioning; entry (of acquisitions)

reconstitution

Toutes les mesures prises en vue de recréer tout ou partie d'un bien culturel, d'après les preuves historiques, littéraires, graphiques, figuratives, archéologiques et scientifiques. Elle a pour objet de faire connaître un bien culturel; elle utilise peu ou pas d'éléments de l'oeuvre originelle, mais exige des indications précises quant à un état antérieur.

commentaire enregistré (sur un objet, une vitrine, etc.)

visite audioguidée

enregistrement

système d'enregistrement

discothèque; phonothèque

liste d'objets de fouille(s)

gestion des fichiers

système de dossiers

collection de référence

fichier de référence

matériel de référence

objet témoin

service de référence

ethnologie régionale

musée régional

registre

préposé au registre; préposé à l'enregistrement; archiviste

enregistrement (des acquisitions); inscription sur l'inventaire

registration number
SEE accession number

regular visitors (pl.) Cf. repeat visitor	public habituel; visiteurs habituels
regulate; control (v.) (humidity, temperature, etc.)	régler; régulariser (l'humidité, la température) À ÉVITER : contrôler
regulations (customs, export, government, import, etc.)	règlement
reinforcing (textiles)	renforcement (de textiles)
reinstallation of collections; reorganization of collections; rearrangement of collections	réagencement des collections; réorganisation des collections
rejection letter (of an object offered)	lettre de refus (d'un objet offert)
related institutions, museums and	établissements apparentés, musées et
relative humidity	humidité relative
relics (of the past)	reliques (du passé)
religious art; sacred art	art religieux; art sacré
religious art museum; museum of religious art; museum of sacred art; sacred art museum	musée d'art religieux; musée d'art sacré
religious monument	monument religieux
religious object	objet religieux
religious subject NOTE As opposed to "secular subject".	sujet religieux NOTA Par opposition à «sujet profane».
remains (pl.); human remains (pl.)	restes (plur.); restes humains (plur.)
remains (pl.); vestiges (pl.) (of a building)	vestiges (plur.) (d'un bâtiment)
renewal of collections	renouvellement des collections
rental service (of works of art) Cf. art rental gallery	service de location (d'oeuvres d'art)

reopening	réouverture
reorganization of collections; rearrangement of collections; reinstallation of collections	réagencement des collections; réorganisation des collections
repatriated collection	collection rapatriée
repeat visitor; frequent visitor Cf. regular visitors	visiteur assidu
replica A one-to-one copy of an original artifact. Cf. reproduction	réplique
report of finds	rapport de découverte
representative sample; adequate sample (of cultural property)	échantillon représentatif (de biens culturels)
reproduction The act of reproducing.	reproduction Action de reproduire.
reproduction A copy of an original artifact not necessarily on a one-to-one scale nor of the same material; a reconstituted artifact based not on an original but on plans and records describing the artifact. Cf. replica	reproduction
reproduction copyright	droits de reproduction
reproduction fees	droits de reproduction
reproduction licence; reproduction permit	autorisation de reproduction
rescue archaeology; salvage archaeology	archéologie d'urgence; archéologie de sauvetage
rescue ethnology; salvage ethnology	ethnologie de sauvetage; ethnologie d'urgence
rescue excavation; salvage excavation	fouille de sauvetage
research area	aire de recherche
research centre	centre de recherche

researcher	chercheur
research facilities	installations de recherche
research laboratory	laboratoire de recherche
research museum	musée de recherche
reserve; preserve	réserve (naturelle, d'oiseaux, d'animaux sauvages, etc.)
reserve collection; collection in storage	collection en réserve
resistance to fire	résistance au feu
resizing (of paper)	réencollage (du papier)
response	intervention (de la police, des pompiers, des agents de sécurité, etc.)
rest area	aire de repos
resting room; rest room	salle de repos
restitution (of an object to its rightful owner)	restitution (d'un objet à son propriétaire)

restoration
The repair or reconditioning of works of art by the replacement of missing parts and the filling in of missing areas. The aim of restoration is to preserve and reveal the aesthetic and historical value of a cultural property. Restoration is based on respect for the remaining original material and clear evidence of the earlier state.
Cf. conservation

restauration
Traitement qui consiste à remettre en état une oeuvre abîmée ou défraîchie en la réparant ou même en la complétant. La restauration a pour objet de préserver et de révéler la valeur esthétique et historique d'un bien culturel et se fonde sur le respect des éléments résiduels et des indications précises quant à un état antérieur.

restoration budget	budget de restauration
restoration laboratory	laboratoire de restauration
restore (v.)	restaurer
restorer SEE conservator	
restricted area	zone d'accès restreint
rest room; resting room	salle de repos

retouch (n.)	retouche
retrieval (of objects from storage)	retrait (des objets de la réserve)
retrospective exhibition	exposition rétrospective; rétrospective (n.f.)
retrospective inventory	inventaire rétrospectif
return (of object on loan)	retour; restitution (d'un objet prêté)
revenue	recettes (plur.)
revenue generation	production de recettes
reversible conservation treatment; reversible restoration	restauration réversible
reviewer	critique
revolving panel	panneau tournant; panneau pivotant
risk prevention; prevention of risks	protection contre les risques
risks coverage; coverage of risks	couverture de risques
rock art	art rupestre
rock painting	peinture rupestre
role of museums; function of museums	rôle des musées; fonction des musées
Rome Centre; International Centre for the Study of the Preservation and the Restoration of Cultural Property; ICCROM	Centre international d'études pour la conservation et la restauration des biens culturels; ICCROM; Centre de Rome
room SEE gallery	
room climate; gallery climate	climat de salle
room divider	élément de séparation
room model; gallery model	maquette de salle
route	itinéraire; circuit
Royal Canadian Mounted Police Museum; RCMP Museum	Musée de la Gendarmerie royale du Canada; Musée de la GRC NOTA Se trouve à Régina.

royal museum	musée royal
ruins (pl.)	ruines (plur.)
rules and regulations (pl.)	règlement
rural life museum; country life museum	musée de la vie rurale

S

sacred art; religious art	art religieux; art sacré
sacred art museum; religious art museum; museum of sacred art; museum of religious art	musée d'art religieux; musée d'art sacré
safeguard (v.) (an object)	sauvegarder (un objet)
safeguarding of collections	sauvegarde des collections
safety Cf. security	sécurité (des personnes)
safety measures	mesures de sécurité
sale catalogue	catalogue de vente
sales counter; sales desk (publications, souvenirs)	comptoir de vente (publications, souvenirs)
sales outlet	point de vente
salt museum	musée du sel
salvage archaeology; rescue archaeology	archéologie d'urgence; archéologie de sauvetage
salvage ethnology; rescue ethnology	ethnologie de sauvetage; ethnologie d'urgence
salvage excavation; rescue excavation	fouille de sauvetage
sample collection	collection d'échantillons
sanctuary treasure	trésor de sanctuaire
sanitation of premises	salubrité des locaux
scale model	modèle à l'échelle; maquette réduite

schoolchildren-visitors	écoliers-visiteurs
school exhibition	exposition scolaire
school visit	visite scolaire
school workshop	atelier pour écoliers
science and technology museum; museum of science and technology	musée des sciences et des techniques; musée des sciences et de la technologie
science exhibition	exposition scientifique
science fair	expo-sciences; foire scientifique
science gallery; science room	salle des sciences; galerie scientifique
science museum; museum of science	musée des sciences
science room; science gallery	salle des sciences; galerie scientifique
scientific examination	examen scientifique
scientific staff	personnel scientifique
scientific treatment	traitement scientifique
scope of collection; sphere of collection	domaine de collecte
screen (for light)	filtre (pour la lumière); écran
screening room	salle de visionnement
screens console (for surveillance of museum)	pupitre d'écrans (pour la surveillance du musée)
scroll painting	peinture sur rouleau
sculpture garden	jardin de sculptures
sculpture museum; museum of sculpture	musée de sculpture
seal (on a document)	sceau
sealed container	contenant hermétique
sea museum	musée de la mer
secondary circuit	circuit secondaire

secondary gallery (reserved for specialists)	galerie secondaire (réservée aux spécialistes)
secondary label	étiquette secondaire
section plan (for public's use)	plan de section (à l'usage du public)
secular object	objet profane
secular origin	origine profane
secular subject NOTE As opposed to "religious subject".	sujet profane NOTA Par opposition à «sujet religieux».
security Cf. safety	sécurité (des biens)
security check	ronde de sécurité
security control room	salle de contrôle de la sécurité
security control station	poste de contrôle de la sécurité
security device	dispositif de sécurité
security equipment	équipement de sécurité; matériel de sécurité
security force	service de sécurité
security guard	gardien
security hanging	accrochage de sécurité
security installations	installations de sécurité
security measures	mesures de sécurité
security of collections; collections security	sécurité des collections
security officer	agent de sécurité; responsable de la sécurité
security of personnel; personnel security	sécurité du personnel
security of visitors; visitor security	sécurité des visiteurs
security perimeter (of works, of building)	périmètre de sécurité (des oeuvres, du bâtiment)

security plan	plan de sécurité
security staff	personnel de sécurité
security system	système de sécurité; installation de sécurité
seismic protection; earthquake protection	protection contre les tremblements de terre; protection contre les séismes
selection; choice (of objects for a collection or display)	choix; sélection (d'objets pour une collection, une présentation)
selection criteria	critères de sélection
self-management	autogestion
self-supporting partition	cloison autoportante; cloison autoporteuse
seminar	séminaire
senior restorer; chief conservator; head conservator; chief restorer	restaurateur en chef; restaurateur principal
sensory education (in a museum)	éducation sensorielle (au musée)
sequence (of objects or displays)	séquence (d'objets ou de présentations)
serial sequence (of objects)	séquence sérielle (d'objets)
set off; highlight (v.) (an object)	mettre (un objet) en valeur
setting-off; enhancement (of a museum object)	mise en valeur (d'un objet de musée)
settlement remains (pl.)	restes d'habitat (plur.)
sharing of heritages	partage de patrimoines
shatterproof glass (for display cases)	verre incassable (pour vitrines)
shelving	rayonnage; étagères
shipbuilding industry museum	musée de l'industrie navale; musée de la construction navale
shipping (of museum objects)	expédition (d'objets de musée)
shipping museum	musée de la navigation
shock detector	détecteur de choc

showcase; display case	vitrine; vitrine d'exposition
showcase display	présentation en vitrine
show display gallery	galerie d'apparat
shrinkage	1. rétrécissement (textiles)
	2. contraction (matériaux non textiles)
side gallery	galerie latérale
sign	écriteau
signage	signalisation
silent alarm	dispositif d'alarme silencieux
e.g. light signals.	p. ex. signaux lumineux.
single theme (of an exhibition)	thème unique (d'une exposition)
site (archaeological, geological, historic, natural, urban)	1. site (archéologique, géologique, naturel, urbain)
	2. lieu (historique, commémoratif)
	3. emplacement (terme général)
site protection; protection of sites	protection des sites
sketch (artistic drawing) Cf. draft	esquisse; croquis (dessin artistique)
skylight	puits de lumière
slide; transparency	diapositive
slide library	diathèque
slide set	jeu de diapositives
slide show	diaporama
sliding rack	étagère coulissante; étagère à glissières
sliding rack storage system; sliding rack system	système de stockage à glissières
sliding rack storage with peg board; art storage boards	système de stockage à glissières avec panneaux à chevilles
sliding rack storage with wire screening; art storage screens	système de stockage à glissières avec panneaux en treillis métallique

sliding rack system; sliding rack storage system	système de stockage à glissières
sliding rail; hanging rail	rail d'accrochage
small size work	oeuvre de petit format; petit format
smoke detector	détecteur de fumée
social history museum	musée d'histoire sociale
social pathology museum	musée de pathologie sociale
social science museum; museum of social sciences	musée des sciences sociales
social structure of visitors; demography of visitors	composition sociologique des visiteurs
sodium chloride	chlorure de sodium
softened light (natural); subdued light (artificial)	lumière tamisée
soil products museum; museum of soil products	musée des produits du sol
solo show; one-man exhibition	exposition solo
sonic detector	détecteur sonique
sound and light performance; sound and light show	spectacle son et lumière
sound archives (pl.)	archives sonores (plur.)
sound commentary; voice commentary	commentaire sonore
sound library; sound effects library	sonothèque Endroit où l'on conserve des enregistrements de bruits et d'effets sonores.
sound library; sound-recording library	phonothèque Endroit où l'on conserve des documents sonores de tous genres.
soundproofing	insonorisation
sound record	enregistrement sonore; phonogramme

sound-recording library
SEE sound library

source analysis	analyse des sources
source file	dossier de source
source research	recherche des sources
space allotment (in a museum)	allocation d'espace (dans un musée)
space division; division of space	aménagement de l'espace
space museum; astronautics museum	musée de l'espace
space partitioning	subdivision de l'espace
space saturation system	système basé sur la saturation de l'espace
spacing (between works)	espacement; écartement (entre les oeuvres)
special effects (sound or visual effects)	effets spéciaux
special event	activité spéciale; manifestation spéciale
special exhibition	exposition spéciale
special exhibition gallery; special exhibition room	salle des expositions spéciales
specialized collection	collection spécialisée
specialized equipment	équipement spécialisé
specialized exhibition	exposition spécialisée
specialized museum	musée spécialisé
specialized public	public spécialisé
special lighting effects	effets spéciaux d'éclairage
specimen (zoological or botanical)	spécimen (zoologique ou botanique)
speleology museum	musée de spéléologie
sphere of collection; scope of collection	domaine de collecte
spoil; spoil of war	prise de guerre

sponsor Cf. patron	commanditaire Personne ou entreprise donnant son soutien financier ou autre à une personne, une cause, une activité, un organisme.
sponsoring institution (of a travelling exhibition)	établissement responsable (d'une exposition itinérante)
sponsorship Cf. patronage	commandite; parrainage
sports museum	musée du sport; musée des sports
spotlight	projecteur
spotlighting	éclairage focalisé
spotting [USA]; provisional hanging; trial hanging (of paintings)	accrochage provisoire
spraying	vaporisation
sprinkler	extincteur automatique
stackable modules	modules empilables
staff; personnel	personnel
stain removal (from textiles)	détachage (des textiles)
stall; stand; booth	stand
stand (n.) (for various objects: vase, statuette, etc.)	support (pour objets divers : vase, statuette, etc.)
standardized display case	vitrine normalisée
standard unit	élément standard
standing case; free-standing case; free-standing showcase	vitrine autoportante
state museum	musée d'État
static exhibit module	élément modulaire d'exposition fixe
statutes; museum statutes	statuts (de musée)
stocktaking	inventaire (action de répertorier)
stolen object; object stolen	objet volé

stone carving	sculpture sur pierre
stone inscription; stone writing	inscription lapidaire
storage; storeroom A place where collections are stored.	réserve Lieu d'entreposage des collections.
storage; storing The act of putting in storage.	mise en réserve
storage area	réserves (plur.)
storage cabinet; cabinet	armoire de rangement
storage display barrier	écran-vitrine étanche
storage furniture	mobilier de réserve
storage module	module de rangement
storage record	registre de réserve
storage system	système d'entreposage; système de stockage
storage vault; vault	chambre forte
store (v.)	mettre en réserve
store inventory	inventaire des réserves
storekeeper	responsable des réserves
storeroom SEE storage	
storing SEE storage	
storyline; exhibition summary; exhibition brief	synopsis d'exposition
strange object	objet insolite
stratigraphic excavation	fouille stratigraphique
stray find	trouvaille isolée
studio workshop	atelier d'activités artistiques
study collection	collection de recherche

study exhibition	exposition de référence
study group	cercle d'études; groupe d'études
study trip	voyage d'étude
subaquatic archaeology; underwater archaeology	1. archéologie subaquatique 2. archéologie sous-marine
subdued light (artificial); softened light (natural)	lumière tamisée
subject data card; analytical data card	fiche analytique
subscribing institution	établissement d'accueil (d'une exposition itinérante)
An institution which hosts a travelling exhibition.	
subterranean museum; underground museum	musée souterrain
suitcase exhibition	exposition-mallette
sunlight	lumière solaire
superficial examination	examen superficiel
supervision of sites	surveillance des sites
support; mount	support (vertical)
support program; assistance program	programme d'appui
surface find	découverte au sol
surveillance staff	personnel de surveillance
suspended platform	plateau suspendu; plate-forme suspendue
suspended showcase	vitrine suspendue
symbolic value	valeur symbolique
symmetry	symétrie
symposium	colloque
synchronic display; synchronous display	présentation synchronique

synoptic display	présentation synoptique
synthetic material	matière synthétique
systematic catalogue	catalogue systématique
systematic collecting	collecte systématique
systematic collection	collection systématique
systematic display	présentation systématique
systematic exhibition	exposition systématique
systematic research	recherches méthodiques
systematics The science of classifying living organisms.	systématique (n.f.) Science de la classification des êtres vivants.
systematization (of collections)	systématisation (des collections)

t

table-display case; table showcase; tabletop case	vitrine-table
talking tour; guided tour	visite commentée; visite guidée
target group (public category)	clientèle cible (catégorie de public)
taxidermist	taxidermiste
taxidermy	taxidermie
taxonomic display	exposition taxinomique; exposition taxonomique
taxonomy	taxinomie; taxonomie
teaching collection	collection didactique
teaching kit; kit	mallette didactique; mallette éducative
teaching model; educational model	modèle didactique; modèle d'enseignement
teaching museum	musée-école (néol.)

teaching of art	enseignement de l'art; enseignement artistique
teaching of museology; museology teaching	muséo-pédagogie
technical assistance	assistance technique
technical handbook	manuel technique
technical installations	installations techniques
technical model	modèle technique
technical qualities (of a work of art)	qualités techniques (d'une oeuvre)
technical staff; technicians	techniciens
technological museum; technology museum	musée des techniques; musée de la technologie
telecommunication museum	musée des télécommunications
teleprocessing	télématique
televised museum; museum-by-television	musée télévisé
television museum	musée de la télévision
television surveillance	surveillance par télévision
temperature change	changement de température
temperature control; temperature regulation	régulation de la température; régulation thermique
temperature jump	saute de température
temperature regulation; temperature control	régulation de la température; régulation thermique
temperature variation	écart de température
temple-museum	temple-musée
temporary deposit; temporary storage	dépôt provisoire
temporary exhibit; temporary exhibition	exposition temporaire
temporary exhibition gallery	salle des expositions temporaires

temporary numbering; provisional numbering	numérotage provisoire
temporary storage; temporary deposit	dépôt provisoire
testimonies of the past	témoignages du passé
textile museum	musée des textiles
text panel	panneau explicatif
theatre museum; drama museum; dramatic art museum	musée d'art dramatique; musée du théâtre
theft attempt	tentative de vol
theft prevention; protection against theft	protection contre le vol
theftproof (adj.)	à l'abri du vol
thematic collection	collection thématique
thematic display	présentation thématique
thematic exhibition	exposition thématique
thematic orientation	thématique (n.f.) (d'une exposition)
thematic tour	visite thématique
theme (of an exhibition or collection)	thème (d'une exposition, d'une collection)
theme selection	choix des thèmes
thermohygrograph; hygrothermograph	thermohygrographe; hygrothermographe
thermoluminescence dating	datation par thermoluminescence
three-dimensional image	image en relief
three-dimensional model	maquette à trois dimensions
three-dimensional object	objet à trois dimensions; objet tridimensionnel
three-dimensional representation	tableau en relief
ticket office	billetterie
tie-on label	étiquette fixée (à un objet)

topographical plan	plan topographique
tour (of a museum)	visite (du musée)
touring exhibition; travelling exhibition	exposition itinérante
tourism and travel museum	musée du tourisme et des voyages
tour technique	technique de visite guidée
town history museum; municipal history museum	musée d'histoire de la ville; musée d'histoire municipale
town planning museum; museum of town planning	musée de l'urbanisme
town-to-town circuit	circuit de ville en ville
toys museum	musée des jouets
trademark	marque de fabrique; label
trades and professions museum	musée des métiers
transfer (of object)	transfert (d'objet)
transit e.g. museum objects in transit.	transit p. ex. objets de musée en transit.
transit insurance; transport insurance	assurance-transport
transparency; slide	diapositive
transparent architecture A type of open architecture.	architecture transparente
transparent storage container	contenant transparent
transportation museum; transport museum	musée des transports
transport insurance; transit insurance	assurance-transport
transport museum; transportation museum	musée des transports
travelling display case; portable display case; portable showcase	vitrine portative
travelling exhibition; touring exhibition	exposition itinérante

travelling museum Cf. mobile museum, museum bus	musée itinérant
treasure-trove	trésor
treat (v.) (an object)	traiter (un objet)
treatment (of museum objects)	traitement (des objets de musée)
treaty	traité Acte d'entente entre pays concernant les objets de musée.
trial excavation	sondage archéologique
trial hanging; spotting [USA]; provisional hanging (of paintings)	accrochage provisoire
tribal museum	musée de tribu
trustee	administrateur Membre du conseil d'administration d'un musée.
type object	objet type
type of object; object type	type d'objet
type specimen	spécimen type

u

ultrasonic detector	détecteur ultra-sonique; détecteur ultrasonique
ultraviolet; ultraviolet light	lumière ultraviolette; ultraviolet (n.); ultra-violet (n.)
ultraviolet filter	filtre à ultra-violet; filtre à ultraviolet
ultraviolet light; ultraviolet	lumière ultraviolette; ultraviolet (n.); ultra-violet (n.)
unaccessioned holdings; unprocessed holdings	objets non traités
underground museum; subterranean museum	musée souterrain
undervisiting	sous-fréquentation

underwater archaeology; subaquatic archaeology	1. archéologie subaquatique 2. archéologie sous-marine
underwater collecting	1. collecte subaquatique 2. collecte sous-marine
underwater heritage	1. patrimoine subaquatique 2. patrimoine sous-marin
unfolding exhibition	exposition pliante (néol.)
uniform lighting	éclairage uniforme
uniqueness	unicité
unique object	pièce unique
university museum	musée universitaire
unknown artist	artiste inconnu
unpacking	déballage
urban archaeological site	site archéologique urbain
urban transport museum	musée des transports urbains
use of collections; utilization of collections; collection usage	utilisation des collections; usage des collections

V

vacuum autoclave	autoclave sous vide
valuation SEE appraisal	
valuation; appraised value; estimated value; estimate; appraisal	valeur estimée; évaluation
value (of an object or collection)	valeur (d'un objet, d'une collection)
value (v.) an item	attacher du prix à un objet
vandalism (of museum objects or facilities)	vandalisme (subi par les objets ou les installations de musée)
vault; storage vault	chambre forte
VCR; videocassette recorder	magnétoscope à cassette

vegetal and animal paleontology museum; museum of vegetal and animal paleontology	musée de paléontologie végétale et animale
vegetal cover; ground cover (in a park or reserve)	couverture végétale (dans un parc ou une réserve)
vegetal material	matériel végétal
vegetal paleontology museum; museum of vegetal paleontology; paleobotanical museum	musée de paléontologie végétale
velum	velum; vélum
ventilation	aération; ventilation
venue	lieu de présentation (d'une exposition itinérante)
vernacular (adj.)	vernaculaire (adj.)
vernacular architecture	architecture vernaculaire
vernissage (of an art exhibition) Cf. exhibition opening	vernissage (d'une exposition d'oeuvres d'art)
vertical screen	écran vertical
vertical showcase	vitrine verticale
vestiges (pl.); remains (pl.) (of a building)	vestiges (plur.) (d'un bâtiment)
vibration detector	détecteur de vibrations
vibratory contact	interrupteur sensible aux vibrations
video	vidéo
videocassette recorder; VCR	magnétoscope à cassette
video collection	collection vidéo
videodisc	vidéodisque
video library	vidéothèque
video recording	enregistrement vidéo
videotape	bande vidéo

video technique	technique vidéo
village handicraft	artisanat de village
VIP lounge	salon des dignitaires; salon d'honneur
visibility (of collections)	facilité d'observation (des collections)
visible storage	réserve visitable
visiting artist	artiste invité
visiting hours; opening hours	heures d'ouverture
visitor age profile; age profile of visitors	composition du public selon l'âge
visitor average age; average age of visitors	âge moyen des visiteurs; moyenne d'âge des visiteurs
visitor circulation; circulation of visitors	circulation des visiteurs
visitor control; control of visitors	1. contrôle des visiteurs (à l'entrée ou à la sortie) 2. surveillance des visiteurs (dans les salles)
visitor enquiry; visitor survey	enquête auprès des visiteurs
visitor information service	service d'information pour les visiteurs
visitor profile	profil du visiteur
visitor psychology	psychologie du visiteur
visitor route	itinéraire des visiteurs
visitors' book	livre des visiteurs
visitor security; security of visitors	sécurité des visiteurs
visitor services	services d'accueil aux visiteurs
visitor statistics	statistiques sur les visiteurs
visitor survey; visitor enquiry	enquête auprès des visiteurs
visual aids	moyens visuels
visual arts	arts visuels

visual communication	communication visuelle
visual impact (of an exhibition or museum object)	impact visuel (d'une exposition, d'un objet de musée)
visually-impaired visitor	visiteur malvoyant
visual quality (of an exhibition or work of art)	qualité visuelle (d'une exposition, d'une oeuvre d'art)
visual understanding	compréhension visuelle
vivarium	vivarium
voice commentary; sound commentary	commentaire sonore
volumetric detection	détection volumétrique
voluntary (adj.)	bénévole (adj.) p. ex. aide bénévole.
voluntary contribution	contribution volontaire
voluntary work	bénévolat
volunteer (n.)	bénévole (n.)
volunteer guide	guide bénévole
volunteer personnel; volunteers	personnel bénévole
volunteer team	équipe bénévole

W

wall area; wall space	surface murale
wallcase; wall showcase	vitrine murale
wall painting; mural	peinture murale
wall panel	panneau mural
wall showcase; wallcase	vitrine murale
wall space; wall area	surface murale
wall text	texte mural
war damages	dommages de guerre

war museum	musée de la guerre
warning device; alarm device	dispositif d'alarme
washing area (washing of objects)	salle de lavage (des objets)
watch	surveillance
watch team; guards team	équipe de surveillance
water-colour	aquarelle
water damage	dégâts causés par l'eau
waterproofing (of a museum object)	imperméabilisation (d'un objet de musée)
water repellent	hydrofuge Produit qui préserve de l'humidité.
water-spray extinguisher	extincteur à eau pulvérisée
wax museum	musée de cire
way of life	mode de vie; moeurs
wear; wear and tear	usure
weather damage	dégâts causés par les intempéries
weathering	effritement
wet rot	pourriture humide
wildlife	faune
wildlife habitat	habitat faunique
window showcase	vitrine extérieure
wine and spirits museum	musée des vins et spiritueux
wine museum; museum of wine	musée du vin; musée oenologique
wire mesh; wire screening	treillis métallique
wood panel (painting support)	panneau de bois (support de tableau)
woodworm	vrillette; anobie Ver du bois.
work identification	identification d'oeuvre

working model; animated model	modèle animé
working regulations (pl.) (of the museum)	règlement interne (du musée)
work of art	oeuvre d'art
workroom	salle de travail
workshop	atelier
workshop visit	visite d'atelier
world exposition	exposition universelle
World Heritage List	Liste du patrimoine mondial
wrapping	emballage
writing (n.)	graphie
written documentation	documentation écrite
written record	document écrit
written source	source écrite

X

X-ray analysis	analyse aux rayons X

y

yearbook	annuaire (du musée)
youth activities	activités pour la jeunesse; activités pour les jeunes

z

zoology museum; museum of zoology	musée de zoologie

Lexique français-anglais / French-English Glossary

a

abri du vol, à l'	theftproof (adj.)
accès (au musée, aux objets)	access (to museum, objects)
accès par échelle	ladder-access
accessibilité (des collections, du musée)	accessibility (of collections, museum)
accessible aux handicapés; accessible aux personnes handicapées	accessible to disabled persons; accessible to the handicapped
accessoire de costume; accessoire de vêtement	costume accessory
accrochage (d'une oeuvre d'art)	hanging (of a work of art)
accrochage chronologique (de tableaux)	chronological hanging (of paintings)
accrochage de sécurité	security hanging
accrochage didactique	educational hanging
accrochage provisoire	trial hanging; spotting [USA]; provisional hanging (of paintings)
acoustique	acoustics
acquis d'une manière illicite	acquired by illicit means
acquisition	accession; acquisition
acquisition illégale (d'un bien culturel)	illegal acquisition (of a cultural property)
acquisition illicite (d'objets de musée)	illicit acquisition (of museum objects)
acquisitions coordonnées	coordinated acquisitions
action biologique	biological action
action éducative; activité éducative	educational activity
activité; manifestation	event
activité à caractère culturel	culturally-oriented activity

129

activité artisanale	craft activity
activité culturelle	cultural activity
activité éducative; action éducative	educational activity
activité musicale	musical activity
activités de diffusion externe	museum outreach; outreach
activités de vulgarisation	extension activities
activités extérieures; activités hors murs	outside activities
activités pour la jeunesse; activités pour les jeunes	youth activities
adhésion (à une société des amis du musée)	membership (in a museum friends society)
adjoint; assistant	assistant
adjoint à la conservation	curatorial assistant
administrateur	trustee
administration de musée	museum administration
adresse; emplacement (du musée)	location (of the museum)
aération; ventilation	ventilation
affiche	poster
âge moyen des visiteurs; moyenne d'âge des visiteurs	average age of visitors; visitor average age
agencement général	layout
agent (dans un musée)	officer (in a museum)
agent de dégradation (d'objets)	damaging agent (to objects)
agent de diffusion	extension officer
agent de sécurité; responsable de la sécurité	security officer
agent destructeur	destructive agent
aide financière; appui financier	financial support; financial aid

air ambiant	ambient air
air conditionné	conditioned air
aire de gardiennage	guarding area
aire d'emballage	crating area
aire de réception	receiving area
aire de recherche	research area
aire de repos	rest area
aire d'exposition	exhibition area
alarme; signal d'alarme	alarm
alarme automatique	automatic alarm
alarme électronique	electronic alarm
aliénation; retrait d'inventaire	deaccession; deaccessioning; deacquisition
alignement par le bas (de tableaux)	bottom alignment (of paintings)
allégement (de la présentation)	lightening (of display)
alléger	lighten
allocation d'espace (dans un musée)	space allotment (in a museum)
altération; dégradation; détérioration	deterioration; alteration
altération des colorants	colorant fading
amateur d'antiquités	antiquarian; antiquary
amateur d'art	art lover
AMC; Association des musées canadiens	CMA; Canadian Museums Association
aménagement (d'une salle)	fit-up (of an exhibition room)
aménagement (d'un espace, d'un endroit)	arrangement (of an area)
aménagement de l'espace	division of space; space division

aménagement de l'espace muséal	arrangement of museum space; museum space arrangement
aménagement intérieur	interior design (arrangement)
amis du musée	friends of the museum
amphithéâtre	amphitheatre
analyse aux rayons X	X-ray analysis
analyse chimique	chemical analysis
analyse des sources	source analysis
anastillose	anastylosis
ancienneté (de l'oeuvre)	age; oldness (of a work of art)
animal naturalisé	mounted animal
animal nuisible	pest
animateur; animateur de groupe	group leader; leader
animateurs; éducateurs	educational staff; educational personnel
animation (auprès du public)	animation
annexe de musée; musée annexe	branch museum
annuaire (du musée)	yearbook
anobie; vrillette	woodworm
anthrène; *anthrenus museorum*	*anthrenus museorum*; museum beetle
anthropologie	anthropology
anthropologie physique	physical anthropology
anthropologue	anthropologist
antique (n.f.)	ancient work (from antiquity)
antiquité	antique
antiquités (plur.)	antiquities (pl.)
apprentissage	learning

approche esthétisante	aestheticist approach
approche non verbale	non-verbal approach
appui du public	public support
appui financier; aide financière	financial support; financial aid
aquafortiste	etcher
aquarelle	water-colour
arboretum	arboretum
arcades (plur.)	arcade (sing.)
archéographie	archaeography
archéologie	archaeology
archéologie aérienne	aerial archaeology
archéologie de sauvetage; archéologie d'urgence	rescue archaeology; salvage archaeology
archéologie historique	historical archaeology
archéologie industrielle	industrial archaeology
archéologie sous-marine	subaquatic archaeology; underwater archaeology
archéologie subaquatique	subaquatic archaeology; underwater archaeology
archéologue	archaeologist
archéométrie	archaeometry
architecte de musée	museum architect
architecture de musée; architecture muséale	museum architecture
architecture dominante	dominant architecture; dominating architecture
architecture intérieure	indoor architecture; interior architecture
architecture muséale; architecture de musée	museum architecture

architecture populaire	popular architecture
architecture rurale	country architecture
architecture transparente	transparent architecture
architecture vernaculaire	vernacular architecture
archiver	archive (v.)
archives (plur.)	archives (pl.)
archives de l'image (plur.)	pictorial archives (pl.)
archives nationales (plur.)	national archives (pl.)
archives photographiques (plur.)	photographic archives (pl.)
archives sonores (plur.)	sound archives (pl.)
archives sur films (plur.)	film archives (pl.)
archiviste	archivist
archiviste; préposé au registre; préposé à l'enregistrement	registrar
archivistique	archival science
armoire de rangement	cabinet; storage cabinet
arrêté (municipal)	by-law
arrière-plan	background
art actuel	current art; present-day art
art contemporain	contemporary art
artisanat	handicraft(s)
artisanat de village	village handicraft
artiste inconnu	unknown artist
artiste invité	visiting artist
art moderne	modern art
artothèque (néol.)	art rental gallery
art populaire	folk art; popular art

art religieux; art sacré	religious art; sacred art
art rupestre	rock art
art sacré; art religieux	religious art; sacred art
arts appliqués	applied arts
arts décoratifs	decorative arts
arts et métiers	arts and crafts
arts visuels	visual arts
assembler (des objets)	assemble (v.)
assistance technique	technical assistance
assistant; adjoint	assistant
association culturelle	cultural association
association de musée	museum association
association de musées	museums association
association des amis du musée	association of friends of the museum
Association des musées canadiens; AMC	Canadian Museums Association; CMA
assurance	insurance
assurance sous cautionnement	bailee liability insurance
assurance-transport	transport insurance; transit insurance
atelier	workshop
atelier d'activités artistiques	studio workshop
atelier d'artisanat	craft workshop
atelier de bricolage	do-it-yourself workshop
atelier de conservation	conservation workshop
atelier de création	creation workshop
atelier de créativité	creativity workshop
atelier de dessin	drafting room; drafting workshop

atelier de maquettes	models workshop
atelier de musée	museum workshop
atelier de peinture	painting workshop
atelier de préparation	preparation workshop
atelier de préparation des expositions	exhibition preparation workshop
atelier de récréation (pour enfants)	amusement workroom (for children)
atelier de restauration	conservation workshop
atelier photographique	photographic studio
atelier pour écoliers	school workshop
atelier pour enfants	children's workroom
atmosphère filtrée	filtered air
atmosphère muséale	museum atmosphere
attaché de presse	media relations officer
attacher du prix à un objet	value (v.) an item
attaque par les insectes (d'objets de cuir)	insect attack (of leather objects)
attirer les visiteurs	attract (v.) visitors
audioguide	audioguide
audiovisuel (n.; adj.)	audio-visual (n.; adj.)
auditorium	auditorium
auditorium polyvalent	all-purpose auditorium
augmentation de valeur	appreciation; increase in value
authenticité	authenticity
authentification	authentication
authentique (adj.)	authentic (adj.)
autochtone (adj.) (arts, traditions, langues, etc.)	native (adj.) (arts, traditions, idioms, etc.)

autoclave sous vide	vacuum autoclave
autogestion	self-management
automate	automaton
automatisation	automation
autoportant (adj.) (panneau, cloison)	free-standing (adj.) (panel, partition)
autorisation de fouille(s); permis de fouille(s)	excavation licence; excavation permit
autorisation de photographier	permission to photograph
autorisation de reproduction	reproduction licence; reproduction permit
auxiliaires visuels mécaniques	mechanical visual aids
avarie	damage in transit
avertisseur d'incendie	fire alarm

b

bactéricide	bactericide
bande magnétique	magnetic tape
bande métallique	metal strap
bande vidéo	videotape
banque de données de musée	museum databank
banque d'objets	bank of objects
banque d'oeuvres d'art	art bank
barrière invisible (dispositif photo-électrique ou au laser)	invisible barrier (photoelectric or laser device)
basse température	low temperature
bâtiment ancien	old building
bâtiment de musée	museum building
beaux-arts	fine arts

bénévolat	voluntary work
bénévole (adj.)	voluntary (adj.)
bénévole (n.)	volunteer (n.)
besoins du public	public's needs; public's requirements
besoins muséographiques	museum needs; needs of museums
bibliothécaire	librarian
bibliothèque	library
bibliothèque d'art	art library
bibliothèque de livres rares	rare books library
bibliothèque de musée	museum library
bien culturel	cultural property
bien culturel immeuble	immovable cultural property
bien culturel meuble	movable cultural property
bien de musée	museum property
bienfaiteur	benefactor
biennale; exposition biennale	biennial; biennial exhibition
billet d'entrée	admission ticket
billetterie	ticket office
biodégradation	biodegradation
biographie	biography
biotope	biotope
bouche d'incendie	fire hydrant
boutique de musée	museum shop
brochure	brochure
brochure	pamphlet
brouillard	mist

budget de restauration	restoration budget
bulletin	bulletin; newsletter
bureau de renseignements; comptoir de renseignements	information desk
butin artistique (de guerre)	art booty (from the war)

C

cabine du projectionniste	projection room
cabinet de curiosités [FRA]; chambre des merveilles; cabinet de raretés [FRA]	cabinet of curiosities; curiosity cabinet; curio cabinet
cabinet de portraits [FRA]; salle de portraits	portrait exhibition room
cabinet de raretés [FRA]; cabinet de curiosités [FRA]; chambre des merveilles	cabinet of curiosities; curiosity cabinet; curio cabinet
cabinet des estampes [FRA]; salle des estampes	print room
cabinet des monnaies et médailles [FRA]; galerie des monnaies et médailles; salle des monnaies et médailles	coins and medals gallery; numismatic gallery; coins and medals room; numismatic room
câble souterrain sensible à la pression (terme de sécurité)	pressure-sensitive underground cable (security term)
cache (archéologique)	cache; hoard (in archaeology)
cadenas	padlock
cadre (d'une oeuvre d'art)	frame (of a work of art)
cadre historique	historical setting
cadre non muséal	non-museum setting
cadre régional	local setting
cadre tubulaire (de panneau)	pipe framework (of panel)
caisse climatisée; caisse de transport climatisée	climate-controlled packing box; climate-controlled packing crate

caisse d'emballage	packing case
caisse de transport climatisée; caisse climatisée	climate-controlled packing box; climate-controlled packing crate
caisse-vitrine	display packing case
cambriolage; vol avec effraction	burglary
campagne d'achat	purchase campaign
campagne de collecte	collecting campaign
campagne de financement; collecte de fonds	fund-raising campaign; fund raising
campagne de fouille(s)	excavation campaign
capillarité	capillary action
caractère éducatif (du musée)	educational character (of a museum)
carcinologue	carcinologist
carnet de fouille(s); journal de fouille(s)	excavation notebook; field notebook
carrière muséale	museum career
carte archéologique	archaeological map; archaeological plan
carte d'invitation	invitation card
cartothèque	map room
cassant (dans le cas des objets)	brittle (adj.)
catalogage	cataloguing
catalogage informatisé	computerized cataloguing
catalogue	catalogue (n.)
catalogue alphabétique	alphabetical catalogue
catalogue central; catalogue général	central catalogue; main catalogue; main master catalogue; general catalogue
catalogue de collection	collection catalogue
catalogue de vente	sale catalogue

catalogue d'exposition	exhibition catalogue
catalogue général; catalogue central	central catalogue; main catalogue; main master catalogue; general catalogue
catalogue imprimé	printed catalogue
catalogue informatisé	computerized catalogue
cataloguer	catalogue (v.)
catalogue sur fiche	card catalogue
catalogue systématique	systematic catalogue
catalogueur	cataloguer; cataloger
catégorie de musée	museum category
catégorie de public	public category
catégorie de visiteurs	class of visitors
CCQ; Centre de conservation du Québec	CCQ; Centre de conservation du Québec
cellule photo-électrique	photo-electric cell
centre artistique; centre d'art	art centre
centre culturel; maison de la culture [FRA]	cultural centre; culture house
centre d'animation culturelle	cultural animation centre
centre d'art; centre artistique	art centre
centre d'art autogéré	artist-run centre
Centre de conservation du Québec; CCQ	CCQ; Centre de conservation du Québec
centre de documentation	documentation centre
centre de documentation muséographique	museum documentation centre
centre d'éducation	education centre
centre de muséologie; centre d'enseignement muséologique	museology centre

centre de recherche	research centre
Centre de Rome; Centre international d'études pour la conservation et la restauration des biens culturels; ICCROM	Rome Centre; International Centre for the Study of the Preservation and the Restoration of Cultural Property; ICCROM
centre d'exposition	exhibition centre
centre d'initiation à la nature; centre d'interprétation de la nature	countryside centre; nature centre
centre d'interprétation	interpretation centre
centre d'interprétation de la nature; centre d'initiation à la nature	countryside centre; nature centre
centre d'orientation	orientation centre
Centre international d'études pour la conservation et la restauration des biens culturels; ICCROM; Centre de Rome	International Centre for the Study of the Preservation and the Restoration of Cultural Property; ICCROM; Rome Centre
centre national d'exposition	national exhibition centre
céramique; pièce de céramique	ceramic
cercle d'études; groupe d'études	study group
chambre de désinfection	disinfection chamber; disinfection room
chambre de fumigation	fumigation chamber
chambre des merveilles; cabinet de curiosités [FRA]; cabinet de raretés [FRA]	curio cabinet; curiosity cabinet; cabinet of curiosities
chambre forte	storage vault; vault
chambre forte à l'épreuve du feu	fireproof vault
champignon	fungus
changement de température	temperature change
chantier de fouille(s)	excavation site; excavation area
charge maximale admissible au sol	floor loading; loadbearing capacity of floor

chariot rembourré	padded trolley
château-musée	castle museum
chauffage par rayonnement	radiation heating
chef-d'oeuvre	masterpiece
chercheur	researcher
chercheur sur le terrain	fieldworker
chloruration	chlorination
chlorure de sodium	sodium chloride
choix; sélection (d'objets pour une collection, une présentation)	selection; choice (of objects for a collection or display)
choix des thèmes	theme selection
chronologie	chronology
cimaise (pour accrocher les peintures)	picture moulding; picture rail
cinéma; salle de cinéma	cinema hall; movie room
cinémathèque	film library
circuit; itinéraire	route
circuit de climatisation	air-conditioning system
circuit de l'art; réseau de l'art	art network
circuit de muséobus	museobus circuit
circuit de ville en ville	town-to-town circuit
circuit d'exposition; tournée	exhibition circuit; exhibition tour (travelling exhibition)
circuit fléché; circuit signalisé; parcours suggéré	marked circuit
circuit principal; itinéraire principal (des visiteurs)	main route (of visitors)
circuit secondaire	secondary circuit
circuit signalisé; circuit fléché; parcours suggéré	marked circuit

circulation des visiteurs	visitor circulation; circulation of visitors
classement	classification
classification	classification
classifier	classify (v.)
client de musée; usager de musée	museum user
clientèle cible (catégorie de public)	target group (public category)
clientèle des musées; public des musées	museum audience; museum public; museum-going public
climat (d'une salle)	climate (of a gallery or room, etc.)
climat de salle	gallery climate; room climate
climat humide	damp climate
climat intérieur (du musée)	interior climate (of the museum)
climatisation	air conditioning
climat sec	dry climate
cloison	partition
cloison annexe	connected partition
cloison autoportante; cloison autoporteuse	self-supporting partition
cloison mobile	mobile partition; movable partition
cloison suspendue	hanging partition
cloître-musée	cloister museum
club (d'amateurs d'art, d'amis du musée, etc.)	club (for art lovers, for friends of the museum, etc.)
club de jeunes (dans un musée)	children's club (in a museum)
club de musée	museum club
codage	coding
code (sur un objet)	code (on an object)

code de déontologie muséale	code of museum ethics
coffret (de collection de prêt)	case (for a loan collection)
collaborateur de l'extérieur	outside collaborator
collaboration d'artistes	artists' collaboration
collecte	collecting
collecte de fonds; campagne de financement	fund-raising campaign; fund raising
collecte sous-marine	underwater collecting
collecte subaquatique	underwater collecting
collecte systématique	systematic collecting
collection	collection
collection biographique	biographical collection
collection de base	basic collection
collection de base	core of the collection
collection de bibliothèque	library collection
collection d'échantillons	sample collection
collection de films	film collection
collection de monnaies	coin collection
collection de musée; collection muséale	museum collection
collection de prestige	prestige collection
collection de prêt	loan collection
collection de recherche	study collection
collection de référence	reference collection
collection de spécimens en double	duplicate collection
collection didactique	teaching collection
collection disponible pour échange	exchange collection

collection d'oeuvres d'art; collection d'objets d'art	art collection
collection en réserve	collection in storage; reserve collection
collection mixte	miscellaneous collection
collection muséale; collection de musée	museum collection
collection nationale	national collection
Collection nationale de fossiles de plantes et d'invertébrés	National Collection of Invertebrate and Plant Fossils
Collection nationale de la foresterie	National Forestry Collection
Collection nationale de médailles	National Medal Collection
Collection nationale de réserve	National Reserve Collection
collectionnement; collecte	collecting
collectionner	collect (v.)
collectionneur	collector; amateur collector
collectionneur d'oeuvres d'art; collectionneur d'objets d'art	art collector
collectionneur privé	private collector
collection permanente	permanent collection
collection portative	portable collection
collection privée	private collection
collection publique	public collection
collection rapatriée	repatriated collection
collection spécialisée	specialized collection
collection systématique	systematic collection
collection thématique	thematic collection
collection vidéo	video collection
colloque	symposium
colonnade	colonnade

colonne sèche (pour extinction d'incendie)	dry pipe (for fire extinguishing)
comité consultatif	advisory committee
comité des acquisitions	acquisition committee; acquisitions committee; accessions committee
commande; oeuvre commandée	commissioned work
commander (une oeuvre); passer une commande à un artiste	commission (v.) (a work)
commanditaire	sponsor
commandite; parrainage	sponsorship
commandite d'entreprise	corporate sponsorship
commentaire enregistré (sur un objet, une vitrine, etc.)	recorded commentary (about an exhibit)
commentaire sonore	sound commentary; voice commentary
commerce de l'art	art trade; fine art trade
Commission canadienne d'examen des exportations de biens culturels	Canadian Cultural Property Export Review Board
Commission pour la protection des monuments historiques	Commission for the Protection of Historic Monuments; Historic Preservation Commission
communauté muséale	museum community
communication visuelle	visual communication
compartimentage des locaux (pour des raisons de sécurité); compartimentation des locaux	compartmentation of premises (for security purposes)
complexe de musées; complexe muséal	museum complex
comportement (des visiteurs)	behaviour (visitors behaviour)
composition du public selon l'âge	age profile of visitors; visitor age profile
composition sociologique des visiteurs	demography of visitors; social structure of visitors
compréhension visuelle	visual understanding

compte rendu de fouille(s); rapport de fouille(s)	excavation record; excavation report
compte rendu d'exposition; critique d'exposition	exhibition review
comptoir de renseignements; bureau de renseignements	information desk
comptoir de vente (publications, souvenirs)	sales counter; sales desk (publications, souvenirs)
concept d'exposition	exhibition concept
concepteur d'exposition	exhibition designer
conception (d'une exposition, d'une vitrine, etc.)	design (of an exhibition, a showcase, etc.)
conception architecturale	architectural design
conception des étiquettes	label design
conception d'exposition	exhibition design; exhibit design
conception spatiale	physical planning
concept ouvert	open design
condensation	condensation
conditions ambiantes (à l'intérieur du musée)	environment
conditions atmosphériques	atmospheric conditions
conditions atmosphériques défavorables	adverse atmospheric conditions
conditions climatiques	climatic conditions
conditions d'éclairage	lighting conditions
conditions hygrométriques	hygrometric conditions
conférence	conference
conférence	lecture
connaisseur	connoisseur
conseil consultatif	advisory council

conseil d'administration	board of trustees; governing board
Conseil international des monuments et des sites; ICOMOS	International Council of Monuments and Sites; ICOMOS
Conseil international des musées; ICOM	International Council of Museums; ICOM
consentement du propriétaire	owner consent
conservateur	curator; keeper [GBR]
conservateur adjoint	assistant curator
conservateur à la pige	freelance curator
conservateur associé	associate curator
conservateur en chef	chief curator; custodian
conservateur invité	guest curator
conservateurs (plur.)	curatorial staff
conservation	conservation
conservation	curatorship; curation
conservation préventive	preventive conservation
conserver	conserve (v.)
consolidation (de matériaux, de monuments, etc.)	consolidation (of materials, monuments, etc.)
constituer (une collection)	assemble (v.)
constitution d'une collection	collecting
contaminant (n.; adj.)	contaminant (n.; adj.)
contemplation (d'une oeuvre d'art)	contemplation (of a work of art)
contenant hermétique	sealed container
contenant transparent	transparent storage container
contenu esthétique	aesthetic content
contexte naturel; environnement naturel	natural environment
contraction (matériaux non textiles)	shrinkage

contraintes architecturales	architectural constraints
contrat d'échange	exchange agreement
contrat de don	gift agreement
contrat de prêt; entente de prêt	lending agreement; loan agreement
contrefaçon	forgery; counterfeiting; forging
contrefaçon; faux (n.)	forgery; fake
contribution volontaire	voluntary contribution
contrôle des clés	key control
contrôle des visiteurs (à l'entrée ou à la sortie)	visitor control; control of visitors
contrôler (À ÉVITER); régler; régulariser (l'humidité, la température)	control (v.); regulate (humidity, temperature, etc.)
contrôleur d'éclairage	light monitor
coopération entre musées	museum cooperation
coordinateur d'exposition; coordonnateur d'exposition	exhibition coordinator
çopie	copy
copropriété (d'objets par plus d'un musée)	co-ownership (of objects by more than one museum)
corrosion	corrosion
costume; vêtement	costume
couche archéologique	archaeological layer; archaeological stratum
couche culturelle (dans une fouille archéologique)	cultural layer (in an archaeological excavation)
coupe de fouille(s)	excavation section
coupole	cupola
cours sur l'art (donné au musée)	art course (in a museum)
coussinet; tampon	pad

coutume	custom
couverture de risques	coverage of risks; risks coverage
couverture végétale (dans un parc ou une réserve)	vegetal cover; ground cover (in a park or reserve)
couvrir; tapisser	cover (v.)
création d'un musée; fondation d'un musée	establishment of a museum; foundation of a museum
crédit du gouvernement; fonds du gouvernement	government funds
critère de qualité	quality criterium
critères architecturaux	architectural criteria
critères de sélection	selection criteria
critique	reviewer
critique d'art	art critic
critique d'exposition; compte rendu d'exposition	exhibition review
croquis (dessin artistique); esquisse	sketch (artistic drawing)
culture	culture
culture muséale	museum culture
culture populaire; culture traditionnelle	folk culture
curiosité (objet)	curio; curiosity (object)

d

datation	dating
datation archéologique	archaeological dating
datation au carbone 14; datation au radiocarbone	carbon dating; carbon 14 dating; radiocarbon dating
datation au potassium-argon	potassium-argon dating
datation au radiocarbone; datation au carbone 14	carbon dating; carbon 14 dating; radiocarbon dating

datation par thermoluminescence	thermoluminescence dating
date de fabrication	manufacturing date; production date
déballage	unpacking
décentralisation	decentralization
déchiffrer; interpréter (une oeuvre d'art)	interpret (v.) (a work of art)
déclaration de perte	notification of missing object
décloisonner (les genres d'oeuvres d'art)	decompartmentalize (the types of works of art)
décoloration	fading
décontamination (de salles)	decontamination (of rooms)
décor; motif décoratif	decoration (in a work of art)
décoration intérieure	interior decoration; interior design
décor naturel	natural setting
découverte; trouvaille	find (n.)
découverte archéologique; objet de fouille archéologique	archaeological find
découverte au sol	surface find
déficitaire	deficit, in
dégâts causés par l'eau	water damage
dégâts causés par le feu	fire damage
dégâts causés par les intempéries	weather damage
dégradation; altération; détérioration	deterioration; alteration
demeure d'époque	period house
démonstration (d'une expérience, d'un appareil, etc.)	demonstration (of an experiment, an apparatus, etc.)
démontage (d'une exposition)	dismantling (of an exhibition)
déparasitage; destruction de la vermine	disinfestation

département d'archéologie; service archéologique; service d'archéologie	archaeological department
département de musée	museum department
déplacement des visiteurs	movement of visitors
dépliant	folder
dépositaire	depositor
dépôt	deposit
dépôt d'archives	archives depository; depository
dépôt des plastiques	plastics storage
dépôt provisoire	temporary deposit; temporary storage
dépouillement	lack of ornamentation (in the display of a museum piece)
dépoussiérage	dust removal
dépréciation	depreciation
déprédation	depredation
déroulement chronologique	chronological development; chronological progress
descripteur	descriptor
description (d'un objet)	description (of an object)
description ethnographique	ethnographic description
déshumidificateur	dehumidifier
déshumidification	dehumidification
déshydratation	dehydration
désinfectant	disinfectant
désinfecter	disinfect
désinfection	disinfection
désinfection en étuve	disinfection in an oven
dessalement	desalination; desalinization

dessin	drawing
dessin (d'une affiche)	design (of a poster)
dessin animé	animated cartoon
dessin monté sous cache	mask-mounted drawing
destinataire (d'une exposition)	recipient (of an exhibition)
destruction (de biens culturels)	destruction (of cultural property)
destruction de la vermine; déparasitage	disinfestation
détachage (des textiles)	stain removal (from textiles)
détecteur	detector
détecteur à infrarouge	infrared detector
détecteur à relais magnétique	magnetic relay detector
détecteur de choc	shock detector
détecteur de fumée	smoke detector
détecteur de métal (pour vérification de sécurité)	metal detector (for security check)
détecteur de vibrations	vibration detector
détecteur d'ouverture	opening detector
détecteur inertiel de vibrations	inertial vibration detector
détecteur passif à infrarouge	infrared passive detector
détecteur sonique	sonic detector
détecteur ultrasonique; détecteur ultra-sonique	ultrasonic detector
détection automatique (d'incendie)	automatic detection (of fire)
détection de faux	detection of forgery
détection d'incendie	fire detection
détection périphérique	perimeter detection
détection ponctuelle	point detection

détection volumétrique	volumetric detection
détérioration; altération; dégradation	deterioration; alteration
détérioration par la lumière; dommages causés par la lumière	light damage
détériorer, se	deteriorate
détruire la vermine	disinfest
développement des musées	museum development; museum growth
diaporama	slide show
diapositive	slide; transparency
diathèque	slide library
dictionnaire muséologique	museology dictionary; museological dictionary
didactique (adj.)	interpretive (adj.); interpretative (adj.)
diffusion culturelle	culture diffusion
diffusion externe; vulgarisation	extension
diorama	diorama
diorama ouvert	open diorama
directeur; directeur de musée	director; museum director
directeur administratif	administrative director
directeur de fouille(s)	excavation director; field director
directeur de musée; directeur	director; museum director
directives sur fiche	card instruction
discothèque; phonothèque	record library
disparition (d'un site)	obliteration (of a site)
disposer des objets	arrange (v.) objects
dispositif architectural	architectural layout
dispositif automatique	automatic device

dispositif d'alarme	alarm device; warning device
dispositif d'alarme silencieux	silent alarm
dispositif d'alarme sonore	audible alarm
dispositif de protection	protection device
dispositif de sécurité	security device
disposition (d'un objet de musée)	disposal (of a museum object)
disposition (des objets)	disposition; arrangement (of objects)
disposition du public, à la	available to the public
disposition esthétique	aesthetic arrangement
distinction; prix (récompense)	award
distribution de la lumière	light distribution
distribution de l'espace	distribution of space
document	document
documentaliste	documentalist
documentation	documentation
documentation de fouille(s)	excavation documentation; excavation records
documentation des collections	documentation of collections
documentation d'objet	object documentation
documentation écrite	written documentation
documentation illustrée	pictorial records
documentation photographique	photographic documentation
document d'archives	archival document
document écrit	written record
document photographique	photographic document
documents de bibliothèque	library materials
documents d'information	documentary materials

document sonore	documentary record
documents photographiques	photographic materials
domaine de collecte	scope of collection; sphere of collection
dommages causés par la lumière; détérioration par la lumière	light damage
dommages de guerre	war damages
don (en argent ou en nature)	gift; donation; contribution
donateur	donor
don avec usufruit	gift with usufruct
don de particuliers	private donation
don de société	corporate donation
dosage de la lumière	light control
dos protecteur (d'un tableau)	backing (of a painting)
dossier de classification	classification file
dossier de collection	collection file; collection record
dossier de conservation	conservation record
dossier de documentation	document file
dossier de préparation	preparation record
dossier de restauration	conservation record
dossier de source	source file
doublage (d'un tableau)	lining (of a painting)
double; duplicata	duplicate
dresser l'inventaire; inventorier	inventory (v.)
droit d'auteur	copyright
droit d'entrée	admission fee; admission charge
droits de photographie	photography copyright
droits de reproduction	reproduction copyright

droits de reproduction	reproduction fees
duplicata; double	duplicate
durée de la visite	duration of visit; length of visit
durée de l'exposition (aux intempéries, à la lumière)	exposure duration
durée de prêt	loan period
durée d'une exposition	exhibition duration

e

eau-forte	etching
ébauche; esquisse	draft
écart de température	temperature variation
écartement (entre les oeuvres); espacement	spacing (between works)
échange	exchange
échange culturel	cultural exchange; cultural interchange
échange d'expositions	exhibition exchange
échantillon botanique	botanical sample
échantillon représentatif (de biens culturels)	representative sample; adequate sample (of cultural property)
éclairage	lighting
éclairage artificiel	artificial lighting
éclairage direct	direct lighting
éclairage dirigé	directed lighting
éclairage extérieur	outdoor lighting; outside lighting
éclairage fluorescent	fluorescent lighting
éclairage focalisé	spotlighting
éclairage incandescent	incandescent lighting

éclairage indirect	indirect lighting
éclairage intérieur	indoor lighting; interior lighting
éclairage intérieur (d'une vitrine)	inside lighting (of a display case)
éclairage latéral	lateral lighting
éclairage naturel	natural lighting
éclairage par le haut; éclairage zénithal; éclairage vertical	overhead lighting; lighting from above
éclairage uniforme	uniform lighting
éclairage vertical; éclairage par le haut; éclairage zénithal	overhead lighting; lighting from above
écoliers-visiteurs	schoolchildren-visitors
écomusée; musée d'écologie	ecomuseum; ecology museum
écran; filtre (pour la lumière)	screen (for light)
écran d'aluminium	aluminium screen
écran de surveillance	monitor screen
écran horizontal	horizontal screen
écran mobile	mobile screen; movable screen
écran opaque	opaque screen
écran vertical	vertical screen
écran-vitrine étanche	storage display barrier
écriteau	sign
ectoparasite	ectoparasite
éducateur de musée	museum educator
éducateurs; animateurs	educational personnel; educational staff
éducation artistique (au musée)	art education (in a museum)
éducation sensorielle (au musée)	sensory education (in a museum)
effet biologique	biological effect

effet chimique	chemical effect
effet d'éclairage	light effect
effet destructeur	destructive effect
effet détériorant du climat	damaging effect of climate
effets des intempéries	effects of weather
effets spéciaux	special effects (sound or visual effects)
effets spéciaux d'éclairage	special lighting effects
efflorescence	efflorescence
effritement	weathering
élément-clé (d'une présentation)	key element (of a display)
élément d'architecture	architectural element
élément de séparation	room divider
élément d'exposition	exhibit (n.); display (n.); display unit
élément d'exposition didactique	educational exhibit
élément d'exposition didactique	interpretive exhibit; interpretative exhibit
élément modulaire d'exposition fixe	static exhibit module
éléments modulaires transformables	flexible modular furniture
élément standard	standard unit
élément structural	design element
élève (d'un maître)	pupil (of a master)
emballage	packing
emballage	wrapping
emblème	emblem
emplacement (du musée); adresse	location (of the museum)
emplacement (d'une oeuvre d'art)	place (of a work of art)
emplacement (terme général)	site

emprunt (d'objets de musée)	borrowing (of museum objects)
emprunteur	borrower
encadrement (d'une oeuvre d'art)	framing (of a work of art)
encadreur	framer
enduit protecteur	protective surface coating
enluminure (sur un manuscrit)	illumination (in a manuscript)
enquête auprès des visiteurs	visitor enquiry; visitor survey
enquête documentaire	documentary investigation
enquête historique	historical survey
enquête sur le non-public	non-visitor survey
enregistrement	recording
enregistrement (des acquisitions); inscription sur l'inventaire	accessioning; entry; registration (of acquisitions)
enregistrement photographique	photographic record
enregistrement sonore; phonogramme	sound record
enregistrement sur cassette	cassette recording
enregistrement sur film	film record
enregistrement vidéo	video recording
enrichir une collection	develop a collection
enrichissement de collection	collection development; collection growth
enseignement artistique; enseignement de l'art	teaching of art
ensemble à ordonnance cyclique	cyclical grouping
ensemble d'objets	group of objects
entente de prêt; contrat de prêt	loan agreement; lending agreement
entrée gratuite; entrée libre	free admission; free entry

entretien des collections	collection maintenance; maintenance of collections
entretien des locaux	building maintenance
entretien des peintures; entretien des tableaux	paintings maintenance
environnement (à l'extérieur du musée)	environment
environnement culturel	cultural environment
environnement naturel; contexte naturel	natural environment
équipe bénévole	volunteer team
équipe chargée d'une exposition	exhibition team
équipe de liaison	liaison team
équipe de surveillance	guards team; watch team
équipement	equipment
équipement de sécurité; matériel de sécurité	security equipment
équipement spécialisé	specialized equipment
espace annexe	adjoining space
espace d'exposition	exhibition space
espacement; écartement (entre les oeuvres)	spacing (between works)
espace muséal	museum space
espace muséal aménagé	arranged museum space
espérance de visite; nombre de visiteurs attendus; nombre de visiteurs prévus	expectation of attendance; estimated attendance
esquisse; croquis (dessin artistique)	sketch (artistic drawing)
esquisse; ébauche	draft
estampe; gravure	print
esthétique	aesthetics

estimation; évaluation	appraisal; estimation; evaluation; valuation
estrade	platform; podium
établissement	institution
établissement d'accueil (d'une exposition itinérante)	subscribing institution
établissement responsable (d'une exposition itinérante)	sponsoring institution (of a travelling exhibition)
établissements apparentés, musées et	related institutions, museums and
étagère à glissières; étagère coulissante	sliding rack
étagères; rayonnage	shelving
étagères (plur.) en treillis de plastique; rayons (plur.) en treillis de plastique	plastic wire mesh shelving
étagères métalliques (plur.); rayons métalliques (plur.); rayonnage métallique	metal shelving
étagères métalliques mobiles; rayons métalliques réglables; étagères métalliques réglables	adjustable metal shelving system
étagères mobiles; rayons mobiles; étagères réglables	adjustable shelving
étagères rapprochées	closely-spaced shelving
étagères réglables; rayons mobiles; étagères mobiles	adjustable shelving
état de conservation	conservation condition
ethnographe	ethnographer
ethnographie	ethnography
ethnologie	ethnology
ethnologie de sauvetage; ethnologie d'urgence	rescue ethnology; salvage ethnology
ethnologie régionale	regional ethnology
ethnologue	ethnologist

ethnomusicologie	ethnomusicology
étiquetage	labelling
étiquette	label
étiquette d'identification	identification label
étiquette en braille	Braille label
étiquette fixée (à un objet)	tie-on label
étiquette principale	main label
étiquette secondaire	secondary label
être enregistré	be a matter of record
étude de répartition (d'objets)	distributional study (of objects)
étude historique (des oeuvres)	historical study (of works)
études muséales	museum studies
étui intérieur	inner case
évaluation; estimation	appraisal; estimation; evaluation; valuation
évaluation; valeur estimée	appraisal; valuation; appraised value; estimated value; estimate
évaluation des besoins (du musée, du public, etc.)	needs assessment
évolution culturelle	cultural development
examen (d'objets)	examination (of objects)
examen à l'infrarouge	infrared examination
examen chimique	chemical examination
examen scientifique	scientific examination
examen superficiel	superficial examination
excursion (pour le public)	field trip (for the public)
expédition (de découverte, de recherche ou de collecte); mission de terrain	expedition; field trip (for professionals)

164

expédition (d'objets de musée)	shipping (of museum objects)
expédition de collecte	collecting expedition
expérience du travail de musée	museum practice; museum work experience
expérience presse-bouton (néol.)	push-button experiment
expert-conseil	consultant
expertise	appraisal of authenticity; authenticity appraisal
expertise	expertise
exportation illicite (d'objets de musée)	illicit export (of museum objects)
exposant	exhibitor
expo-sciences; foire scientifique	science fair
exposer	exhibit (v.)
exposition (aux intempéries, à la lumière)	exposure
exposition (d'objets)	exhibition (of objects)
exposition agricole; foire agricole	agricultural exhibition
exposition à l'extérieur; exposition extérieure; exposition hors murs	extramural exhibition; outside exhibition
exposition archéologique	archaeological exhibition
exposition autonome	autonomous exhibition
exposition avec participation du visiteur	participatory exhibition
exposition biennale; biennale	biennial; biennial exhibition
exposition biographique	biographical exhibition
exposition chronologique	chronological exhibition
exposition collective	group exhibition
exposition commémorative	commemorative exhibition; memorial exhibition
exposition comparative	comparative exhibition

165

exposition continue (à l'air)	continuous exposure (in the open air)
exposition d'accueil	introductory exhibition
exposition d'art; exposition d'oeuvres d'art	art exhibition
exposition de monographies	monographic exhibition; monographs exhibition
exposition d'envergure; exposition vedette	blockbuster exhibition
exposition de photographies	photograph exhibition
exposition de plein air	open-air exhibition
exposition de référence	study exhibition
exposition de vulgarisation scientifique	popular science exhibition
exposition d'histoire locale	local history exhibition
exposition didactique	educational exhibition
exposition d'oeuvres d'art; exposition d'art	art exhibition
exposition écologique	ecological exhibition
exposition en bibliothèque	library exhibition
exposition ethnographique	ethnographic exhibition
exposition expérimentale	experimental exhibition
exposition extérieure; exposition hors murs; exposition à l'extérieur	extramural exhibition; outside exhibition
exposition géographique	geographical exhibition
exposition historique	historical exhibition
exposition hors murs; exposition extérieure; exposition à l'extérieur	extramural exhibition; outside exhibition
exposition intégrale (d'une donation, par exemple)	complete exhibition (of donated works, for example)
exposition intégrée	integrated exhibition
exposition interdisciplinaire	interdisciplinary exhibition

166

exposition internationale	international exhibition
exposition itinérante	travelling exhibition; touring exhibition
exposition locale	local exhibition
exposition-mallette	suitcase exhibition
exposition mixte	joint exhibition
exposition modifiable	modifiable exhibition
exposition permanente	permanent exhibition
exposition pliante (néol.)	unfolding exhibition
exposition portative	portable exhibition
exposition pour enfants	children's exhibition
exposition pré-emballée (néol.)	prepacked exhibition
exposition préhistorique	prehistoric exhibition
exposition prêtée	loan exhibition
exposition rétrospective; rétrospective (n.f.)	retrospective exhibition
exposition scientifique	science exhibition
exposition scolaire	school exhibition
exposition solo	one-man exhibition; solo show
exposition spéciale	special exhibition
exposition spécialisée	specialized exhibition
exposition-spectacle	entertainment-exhibition
exposition sur l'environnement	environmental exhibition
exposition sur panneaux	panel exhibition
exposition systématique	systematic exhibition
exposition taxinomique; exposition taxonomique	taxonomic display

exposition temporaire	temporary exhibit; temporary exhibition
exposition thématique	thematic exhibition
exposition universelle	world exposition
exposition vedette; exposition d'envergure	blockbuster exhibition
extincteur	extinguisher; fire extinguisher
extincteur à eau pulvérisée	water-spray extinguisher
extincteur à mousse	foam extinguisher
extincteur à neige carbonique	carbon dioxide extinguisher
extincteur à poudre	powder extinguisher
extincteur automatique	sprinkler
extincteur portatif	portable fire extinguisher
extraction de l'information	information retrieval

f

fabrication de maquettes	model making
facilité d'observation (des collections)	visibility (of collections)
fac-similé	facsimile
facteur de dégradation	degradation factor
faible fréquentation	low attendance
faible humidité	low humidity
faire appel à la sensibilité du public; solliciter la sensibilité du public	appeal (v.) to the public's sensitivity
faisceau laser	laser beam
fait culturel	cultural fact
famille; groupe familial (de visiteurs)	family group (of visitors)
faune	wildlife

faux (n.); contrefaçon	forgery; fake
Fédération canadienne des Amis des musées	Canadian Federation of Friends of Museums
feuillet	leaflet
fiche	card; index card
fiche analytique	analytical data card; subject data card
fiche de catalogue	catalogue card
fiche descriptive	descriptive card; descriptive data card
fiche d'inventaire	inventory card
fiche signalétique	identification record
fichier de localisation	location file
fichier de référence	reference file
fichier signalétique	descriptive records (pl.)
figure; illustration	illustration
figurine	figurine
film d'animation	animated film
film d'art	art film
film éducatif	educational film
film ethnologique	ethnological film
film expérimental	experimental film
filmothèque	microfilm library
filtre (pour la lumière); écran	screen (for light)
filtre à ultraviolet; filtre à ultra-violet	ultraviolet filter
financement	funding
financement de base	core funding
financement global	overall funding
financement privé	private funding

financement public	government funding; public funding
flexibilité de fonctionnement (d'une réserve)	functional flexibility (of a storage area)
foire agricole; exposition agricole	agricultural exhibition
foire scientifique; expo-sciences	science fair
folklore	folklore
fonction des musées; rôle des musées	function of museums; role of museums
fonction d'information	informative role
fond	background
fondateur	founder
fondation	foundation; endowment
fondation d'un musée; création d'un musée	establishment of a museum; foundation of a museum
fondation privée	private foundation
fond musical	musical background
fonds (sing.)	holdings
fonds documentaire du patrimoine	heritage record holdings
fonds du gouvernement; crédit du gouvernement	government funds
fonds publics (plur.)	public funds (pl.)
fongicide	fungicide
formation microbiologique	microbiological formation
formation muséale; formation muséologique	museum training
formule de don	gift form
formule de prêt	loan form
fossile	fossil
fouille (archéologique, paléontologique, géologique, etc.)	excavation (archaeological, paleontological, geological, etc.)

fouille; fouille archéologique	archaeological excavation; dig (familiar)
fouille clandestine	illegal excavation; illicit excavation
fouille de sauvetage	rescue excavation; salvage excavation
fouille stratigraphique	stratigraphic excavation
fréquentation (d'un musée ou d'une exposition par les visiteurs)	attendance (by visitors at a museum or exhibition)
fréquentation des musées	museum visiting
fréquentation excessive	overcrowding; overvisiting
fresque	frescoe
friable (dans le cas des peintures)	brittle (adj.)
fronton	pediment
fumigant (n.m.) (pesticide)	fumigant
fumigation	fumigation

g

galerie; salle	gallery; room
galerie à accès limité	limited access gallery
galerie coopérative	co-operative gallery
galerie d'apparat	show display gallery
galerie d'art	gallery; art gallery
galerie de géologie (salle)	geology gallery (room)
galerie de liaison (entre deux bâtiments, deux salles, etc.)	connecting gallery (between two buildings, two rooms, etc.)
galerie de peinture; galerie de tableaux	gallery; art gallery
galerie de portraits	portrait gallery
galerie des monnaies et médailles; salle des monnaies et médailles; cabinet des monnaies et médailles [FRA]	coins and medals gallery; numismatic gallery; coins and medals room; numismatic room

galerie de tableaux; galerie de peinture	gallery; art gallery
galerie d'exposition; salle d'exposition	exhibition room; exhibition gallery; exhibit gallery
galerie iconographique	iconographic gallery
galerie latérale	side gallery
Galerie nationale du Canada (ancien nom); Musée des beaux-arts du Canada	National Gallery of Canada
galerie scientifique; salle des sciences	science gallery; science room
galerie secondaire (réservée aux spécialistes)	secondary gallery (reserved for specialists)
garde (n.f.)	custodianship
gardien	security guard
gardien de nuit; veilleur de nuit	night guard; night watchman
gardiennage	guarding
géologie	geology
géologue	geologist
gestion artistique	arts management
gestion de musée; gestion muséale	museum management
gestion des collections	collections management
gestion des données	data management
gestion des fichiers	records management
gestion muséale; gestion de musée	museum management
gisement archéologique	archaeological site
glyptothèque	glyptothek
gouache	gouache
gradient hygrométrique	moisture gradient
grande humidité	high humidity; abundant moisture

grande salle; hall	hall
grande salle d'exposition; hall d'exposition	exhibition hall
grandeur nature (adj.)	life-size (adj.)
grand public	general public
graphie	writing (n.)
gravure	engraving
gravure; estampe	print
grillage métallique	metal grill
grille métallique	metal grid
grotte aménagée	cave open to the public
grotte-musée	cave museum
groupe culturel	cultural group
groupe d'âge (des visiteurs)	age-grade [USA]; age-group (of visitors)
groupe d'études; cercle d'études	study group
groupe familial; famille (de visiteurs)	family group (of visitors)
guidage	guiding (n.)
guide	guidebook
guide (personne)	guide (person)
guide bénévole	volunteer guide
guide d'art	art guidebook
guide de visite; guide d'exposition	exhibition guide; exhibition handout
guide-interprète	docent
guide-interprète (de la nature); interprète	interpreter (of nature)
guide sommaire	brief guide; concise guide

h

habitat contemporain	contemporary living conditions
habitat faunique	wildlife habitat
hall; grande salle	hall
hall d'exposition; grande salle d'exposition	exhibition hall
hauteur de l'oeil	eye-level
herbier	herbarium
héritage (d'objets de collection, d'un fonds, etc.)	inheritance; legacy (of collection objects, finds, etc.)
héritage culturel; patrimoine culturel	cultural heritage
heures d'affluence	peak hours
heures de fermeture	closing hours
heures d'ouverture	opening hours; visiting hours
histoire de l'art	art history; history of art
histoire des civilisations	history of civilizations
histoire des métiers	crafts history; history of crafts
histoire des musées	museum history
histoire orale	oral history
historien de l'art	art historian
historique (adj.) (d'intérêt historique)	historic (adj.) (of historical significance)
historique (adj.) (concernant l'histoire)	historical (concerning history)
hologramme	hologram
holographeur	holographer
holographie	holography
holotype	holotype

homogénéité de l'air	air homogeneity
humidificateur	humidifier
humidité	humidity
humidité relative	relative humidity
hydrofuge	water repellent
hygromètre	hygrometer
hygrométrie	hygrometry
hygrothermographe; thermohygrographe	hygrothermograph; thermohygrograph

i

ICC; Institut canadien de conservation	CCI; Canadian Conservation Institute
ICCROM; Centre international d'études pour la conservation et la restauration des biens culturels; Centre de Rome	ICCROM; International Centre for the Study of the Preservation and the Restoration of Cultural Property; Rome Centre
ICOM; Conseil international des musées	ICOM; International Council of Museums
ICOMOS; Conseil international des monuments et des sites	ICOMOS; International Council of Monuments and Sites
icône	icon
iconographie	iconography
iconologie	iconology
iconothèque	picture library
identification d'objet	object identification
identification d'oeuvre	work identification
IIC; Institut international pour la conservation; Institut international pour la conservation des objets d'art et d'histoire	IIC; International Institute for Conservation; International Institute for Conservation of Historic and Artistic Works
île-musée	museum island
illustration; figure	illustration

illustrations (plur.)	artwork
image (du musée) auprès du public	public image (of the museum)
image en relief	three-dimensional image
impact (d'une exposition, etc.)	impact (of an exhibition, etc.)
impact visuel (d'une exposition, d'un objet de musée)	visual impact (of an exhibition or museum object)
imperméabilisation (d'un objet de musée)	waterproofing (of a museum object)
importation illicite (d'objets de musée)	illicit import (of museum objects)
impureté de l'air	air impurity
inaliénabilité (d'un bien culturel)	inalienability (of a cultural property)
inauguration d'une exposition	exhibition opening; opening of an exhibition
index informatisé	computerized index
informatisation	computerization
inscription (sur un monument, un objet, une pièce de monnaie)	inscription (as on a monument, artifact or coin)
inscription lapidaire	stone inscription; stone writing
inscription sur l'inventaire; enregistrement (des acquisitions)	accessioning; entry; registration (of acquisitions)
insecte nuisible	insect pest; pest
insecticide	insecticide
insigne d'identité (pour le personnel de musée)	badge; name tag; identification tag (for museum staff)
insonorisation	soundproofing
inspection	inspection
inspection des réserves	inspection of storage area
installation	installation
installation de chauffage	heating system

installation d'éclairage démontable	flexible lighting system
installation de sécurité; système de sécurité	security system
installation permanente (d'une collection)	permanent installation (of a collection)
installations	facilities
installations de recherche	research facilities
installations de restauration	conservation facilities
installations de sécurité	security installations
installations pédagogiques	educational facilities
installations techniques	technical installations
installer	instal; install
Institut canadien de conservation; ICC	Canadian Conservation Institute; CCI
institut de conservation	conservation institute
institut de muséologie	institute of museology
Institut international pour la conservation; IIC; Institut international pour la conservation des objets d'art et d'histoire	International Institute for Conservation; IIC; International Institute for Conservation of Historic and Artistic Works
institution culturelle	cultural institution
instrument didactique	interpretive tool
intensité lumineuse	light intensity
intérêt historique	historical interest
intérieur historique	historical interior; historic interior
interprétation	interpretation
interprétation de la nature	countryside interpretation; nature interpretation
interprète; guide-interprète (de la nature)	interpreter (of nature)
interpréter (une oeuvre d'art); déchiffrer	interpret (v.) (a work of art)

interrupteur sensible aux vibrations	vibratory contact
intervention (de la police, des pompiers, des agents de sécurité, etc.)	response
inventaire (action de répertorier)	stocktaking
inventaire (relevé détaillé)	inventory (n.)
Inventaire canadien des édifices historiques	Canadian Inventory of Historic Buildings; CIHB
inventaire des réserves	store inventory
inventaire de succession	bequest list
inventaire général	complete inventory; general inventory; main inventory
inventaire informatisé	computerized inventory
inventaire informatisé des collections	computerized collection inventory
inventaire international	international inventory
inventaire photographique	photographic inventory
inventaire rétrospectif	retrospective inventory
inventorier; dresser l'inventaire	inventory (v.)
isolation	insulation
itinéraire; circuit	route
itinéraire des pompiers	fire route
itinéraire des visiteurs	visitor route
itinéraire principal; circuit principal (des visiteurs)	main route (of visitors)

j

jardin botanique	botanical garden
jardin de sculptures	sculpture garden
jardin historique	historical garden; historic garden
jardin-musée	garden museum

jeu de diapositives	slide set
jeu éducatif	educational game
journal de fouille(s); carnet de fouille(s)	excavation notebook; field notebook
journal d'expédition	expedition journal
journée d'accueil; journée portes ouvertes	open house
journée des musées	museum day; museums day
journée internationale des musées	international museums day
journée portes ouvertes; journée d'accueil	open house

l

label; marque de fabrique	trademark
labobus; laboratoire mobile	mobile laboratory
laboratoire de conservation	conservation laboratory
laboratoire de recherche	research laboratory
laboratoire de restauration	conservation laboratory
laboratoire de restauration	restoration laboratory
laboratoire mobile; labobus	mobile laboratory
laboratoire-musée	laboratory museum
lacune dans une collection	gap in a collection; lacuna in a collection
laissez-passer (d'entrée au musée)	pass; permit (granting entry to a museum)
lampe à réflecteur	floodlamp
lampe fluorescente	fluorescent lamp
lapidarium; musée lapidaire	lapidarium; lapidary arts museum
lavage intensif	intensive washing
lecture (de l'objet)	reading (of the object)

légataire (d'un don de succession)	legatee (of a bequest)
légende	legend; caption
législation culturelle	cultural legislation
législation sur les musées	museum legislation
legs	bequest
lettre de refus (d'un objet offert)	rejection letter (of an object offered)
liaison radio (avec la police)	radio link (with the police)
librairie (dans un musée)	bookshop (in a museum)
libre accès (à une collection)	free access (to a collection)
lieu (historique, commémoratif)	site
lieu commémoratif	commemorative site; memorial site
lieu commémoratif national	national memorial site
lieu culturel	place of culture
lieu de découverte	findspot
lieu de présentation (d'une exposition itinérante)	venue
lieu d'information	place of information
lieu historique	historic site
liquide de conservation	preserving liquid
liste d'échanges	exchange list
liste des acquisitions	accession list; acquisition list; acquisitions list
liste d'objets de fouille(s)	finds list; record of finds
Liste du patrimoine mondial	World Heritage List
livre des visiteurs	visitors' book
local technique	mechanical room
Loi sur les musées nationaux	National Museums Act

Loi sur les parcs nationaux	National Parks Act
Loi sur les richesses du patrimoine	Heritage Resources Act
Loi sur l'exportation et l'importation de biens culturels	Cultural Property Export and Import Act
lumière artificielle	artificial light
lumière directe	direct light
lumière du jour	daylight
lumière indirecte	indirect light
lumière naturelle	natural light
lumière orientée	directional light
lumière solaire	sunlight
lumière tamisée	softened light (natural); subdued light (artificial)
lumière ultraviolette; ultraviolet (n.); ultra-violet (n.)	ultraviolet light; ultraviolet
luminaire	lighting fixtures
lutte chimique (contre les insectes nuisibles)	chemical control (of pests)
lutte contre les insectes	pest control
lutte contre l'incendie	firefighting
luxmètre	light meter; luxmeter

m

magnétoscope à cassette	videocassette recorder; VCR
maison de la culture [FRA]; centre culturel	cultural centre; culture house
maison historique	historic house
maison historique	historic house museum
maison-musée	museum house

maison natale	birthplace museum
maladie bactérienne	bacterial disease
mallette didactique; mallette éducative	kit; teaching kit
mammalogiste	mammalogist
maniement (d'oeuvre, d'objet, etc.); manipulation	handling (of a museum piece, work or object)
manifestation; activité	event
manifestation spéciale; activité spéciale	special event
manipulation; maniement (d'oeuvre, d'objet, etc.)	handling (of a museum piece, work or object)
manipulation sans précaution (d'un objet de musée)	mishandling (of a museum object)
mannequin	dummy; mannequin
manuel technique	technical handbook
manuscrit	manuscript
manutention	handling (storage, shipping, etc.)
maquette; modèle	model (generally in miniature)
maquette à trois dimensions	three-dimensional model
maquette de salle	gallery model; room model
maquette d'exposition	exhibition model
maquette réduite; modèle à l'échelle	scale model
maquettiste	model maker
marchand d'oeuvres d'art	art dealer
marché de l'art	art market
marché international (de l'art)	international market (in art)
marquage	marking
marque de fabrique; label	trademark
marque d'origine	maker's mark; provenance mark

matériau ignifuge	fire-resistant material
matériel (objets utilisés)	material
matériel	equipment
matériel animal	animal material
matériel de base	basic equipment
matériel de classement	filing equipment
matériel de climatisation	air-conditioning equipment
matériel de démonstration	demonstration material
matériel de laboratoire	laboratory supplies (pl.)
matériel de lutte contre l'incendie	firefighting equipment
matériel de présentation	display equipment
matériel de référence	reference material
matériel de restauration	conservation equipment
matériel de sécurité; équipement de sécurité	security equipment
matériel d'exposition	exhibition equipment
matériel d'exposition souple	flexible exhibition equipment
matériel d'extinction	fire-extinguishing equipment
matériel d'illustration	illustrative material
matériel éducatif	educational material
matériel modulaire d'exposition	modular exhibits (pl.)
matériel végétal	vegetal material
matière (substance)	material
matière synthétique	synthetic material
mauvais entretien (d'un objet); négligence	neglect (of an object)
mécénat	patronage

mécène; protecteur (des arts)	patron (of the arts)
médaille	medal
média	media
médiathèque	media library; médiathèque (at the Canadian Museum of Civilization)
message de l'objet	object message
message didactique; message d'interprétation	interpretive message
mesurage	measuring
mesures anti-bruit	noise control
mesures anti-poussière	dust control
mesures de protection	protective measures
mesures de sécurité	safety measures
mesures de sécurité	security measures
mesures préventives	preventive measures
méthode d'accrochage	hanging method
méthode de présentation	display method
méthode de sondage	probe method; prospection method
méthode d'examen	examination method
méthode d'exposition; technique d'exposition	exhibition technique; exhibition method
méthode éducative	educational method
méthode physique d'examen	physical method of examination
méthodologie muséale	museum methodology
métiers d'art	fine crafts
mettre en réserve	store (v.)
mettre (un objet) en valeur	highlight (v.); set off (an object)
mettre une collection en valeur	enhance a collection

microclimat	microclimate
microfiche	microfiche
microfilm	microfilm
microorganisme	microorganism
microphotographie (image)	microphotograph
microphotographie (technique)	microphotography
microprojecteur	microprojector
microscopie	microscopy
milieu éducatif	learning environment
milieu humide	humid environment
milieu physique	physical environment
mine-musée	mine museum
miniature (n.f.)	miniature; miniature painting
mini-exposition	mini-exhibition
mise au jour (d'un objet de fouille); mise à jour (À ÉVITER)	exposure (of a find)
mise en caisse	crating
mise en place (d'objets)	placing; positioning (of objects)
mise en réserve	storage; storing
mise en valeur (d'un objet de musée)	setting-off; enhancement (of a museum object)
mission archéologique; travail archéologique sur le terrain	archaeological field work
mission de terrain; expédition (de découverte, de recherche ou de collecte)	field trip; expedition (for professionals)
mobilier de réserve	storage furniture
mobilier funéraire (dans une tombe suite à des fouilles)	grave goods (in a dig or excavation)

mobilier métallique	metallic furniture
mode d'acquisition	acquisition method
mode de vie; moeurs	way of life
modèle	mock-up (built to scale or at full size)
modèle; maquette	model (generally in miniature)
modèle à l'échelle; maquette réduite	scale model
modèle animé	animated model; working model
modèle de démonstration	demonstration model; functioning model
modèle d'enseignement; modèle didactique	educational model; teaching model
modèle grandeur nature	full-scale model; full-size model
modèle technique	technical model
modernisation (d'une présentation)	modernization (of a display)
module	module
module de rangement	storage module
module mobile	mobile unit
modules empilables	stackable modules
moeurs; mode de vie	way of life
moisissure	mould; mold [USA]; mildew
monastère-musée	monastery museum
moniteur (appareil de mesure)	monitor (measuring apparatus)
montage	assembly
montant à ressort (pour écran ou panneau)	pogo-stick (for screen or panel)
montants et traverses tubulaires (pour panneaux)	plumbers' pipe system (for display panels)
monument	monument

monument ancien	ancient monument
monument archéologique	archaeological monument
monument artistique	artistic monument; art monument
monument commémoratif	memorial
monument historique	historic monument
monument industriel	industrial monument
monument protégé	protected monument
monument religieux	religious monument
motif décoratif; décor	decoration (in a work of art)
moulage	molding; moulding
moulage (objet)	cast (object)
moulage (procédé)	casting (process)
moulage en plâtre	plaster cast; plaster impression
moule	mould
mouleur	caster
moulin-musée (néol.)	mill museum (neol.)
moyenne d'âge des visiteurs; âge moyen des visiteurs	average age of visitors; visitor average age
moyens audiovisuels	audio-visual aids
moyens d'exposition	exhibition aids
moyens didactiques	educational aids
moyens visuels	visual aids
mur de verre	glass wall
muséal (adj.)	museum-related (adj.)
musée actif	active museum
musée agricole; musée d'agriculture	agriculture museum; museum of agriculture; agricultural museum; farm museum

musée annexe; annexe de musée	branch museum
musée articulé	articulated museum
musée associé	associate museum
musée automatique (néol.)	automatic museum (neol.)
musée bancaire	bank museum
Musée canadien de la guerre	Canadian War Museum
Musée canadien de la photographie contemporaine	Canadian Museum of Contemporary Photography
Musée canadien des civilisations; Musée national de l'Homme (ancien nom)	Canadian Museum of Civilization; National Museum of Man (former name)
Musée canadien du ski	Canadian Ski Museum
musée classé	classified museum
musée clos; musée fermé	enclosed museum
musée commémoratif (d'un événement)	memorial museum
musée constitué en société	incorporated museum
musée d'accueil	receiving museum
musée d'agriculture; musée agricole	agriculture museum; museum of agriculture; agricultural museum; farm museum
musée d'anatomie	anatomy museum
musée d'anthropologie	anthropology museum; museum of anthropology
musée d'anthropologie culturelle	cultural anthropology museum
musée d'anthropologie physique	physical anthropology museum; museum of physical anthropology
musée d'antiquités	antiques museum; museum of antiques
musée d'archéologie	archaeology museum; museum of archaeology; archaeological museum
musée d'archéologie préhistorique	prehistoric archaeology museum; museum of prehistoric archaeology

musée d'architecture	architecture museum; museum of architecture; architectural museum
musée d'art	art museum; museum of art
musée d'art	gallery; art gallery
musée d'art colonial	colonial art museum
musée d'art contemporain	contemporary art museum; museum of contemporary art
musée d'art dramatique; musée du théâtre	drama museum; theatre museum; dramatic art museum
musée d'art et d'archéologie	art and archaeology museum; museum of art and archaeology
musée d'artiste	museum devoted to a particular artist
musée d'art moderne	modern art museum; museum of modern art; modern art gallery
musée d'art municipal	municipal art gallery; municipal art museum; municipal gallery
musée d'art populaire	folk art museum; popular arts museum
musée d'art religieux; musée d'art sacré	religious art museum; museum of religious art; museum of sacred art; sacred art museum
musée d'astronomie	astronomy museum
musée de biologie	biology museum; museum of biology
musée de biologie marine	marine biology museum; museum of marine biology
musée de botanique	botanical museum; museum of botany; botany museum
musée de camp de concentration	concentration camp museum
musée de céramique	ceramics museum
musée de chimie	chemistry museum
musée de cire	wax museum
musée de collège	college museum

musée d'écologie; écomusée	ecomuseum; ecology museum
musée de comté	county museum
musée d'économie	economy museum
musée de cosmétique; musée de cosmétologie	cosmetics museum
musée de criminologie	criminology museum
musée de folklore	folk museum
musée de fondation	foundation museum
musée de fondation privée	private foundation museum
musée de gastronomie	gastronomy museum
musée de gemmologie	gemmology museum
musée de géographie	geography museum; museum of geography
musée de géologie	geology museum; museum of geology
musée de géologie et de minéralogie	geology and mineralogy museum; museum of geology and mineralogy
musée de la chasse	hunting and shooting museum
musée de la construction et du bâtiment	construction and buildings museum; museum of construction and buildings
musée de la construction navale; musée de l'industrie navale	shipbuilding industry museum
musée de l'acoustique	acoustics museum
musée de la danse	dance museum
musée de l'aéronautique; musée de l'air; musée de l'aviation	aviation museum; aircraft museum; aeronautics museum; air museum
musée de la ferronnerie	ironwork museum
musée de la fonderie	foundry museum
musée de la foresterie; musée de la forêt; musée de l'industrie forestière; musée du bois et de la forêt	forestry museum

Musée de la Gendarmerie royale du Canada; Musée de la GRC	Royal Canadian Mounted Police Museum; RCMP Museum
musée de la guerre	war museum
musée de l'air; musée de l'aviation; musée de l'aéronautique	aviation museum; aircraft museum; aeronautics museum; air museum
musée de la littérature	literature museum; museum of literature
musée de la lutte contre l'incendie	firefighters' museum; firefighting museum
musée de la marine; musée d'histoire de la marine	naval museum
musée de la médecine	medical science museum
musée de la mer	sea museum
musée de la métallurgie	metallurgy museum
musée de la météorologie	meteorology museum
musée de la monnaie	currency museum
musée de la musique	music museum; museum of music
musée de la musique et des instruments de musique	music and musical instruments museum; museum of music and musical instruments
musée de la navigation	shipping museum
musée de l'antiquité chrétienne	Christian antiquity museum
musée de la pêche	fishery museum; fishing museum
musée de la pédagogie; musée de l'enseignement	education museum; museum of education; museum of pedagogy; pedagogy museum
musée de la pharmacie	pharmacy museum; pharmaceutical museum [GBR]; pharmacology museum [USA]
musée de la photo; musée de la photographie	photography museum
musée de la photographie et du cinéma	photography and cinema museum; museum of photography and cinema

musée de la physique	physics museum
musée de la police	police museum
musée de la poste; musée des postes	postal museum
musée de la préhistoire	prehistory museum
musée de la presse	press museum
musée de la publicité	publicity museum
musée de la radiodiffusion	broadcasting museum
musée de la radio et de la télévision	broadcasting museum
musée de l'armée	army museum
musée de l'artillerie	artillery museum
musée de l'artisanat	crafts museum
musée de la santé	health museum
musée de la science nucléaire; musée de l'énergie atomique; musée de l'énergie nucléaire	atomic energy museum; nuclear energy museum; nuclear science museum
musée de la technologie; musée des techniques	technological museum; technology museum
musée de la télévision	broadcasting museum; television museum
musée de la Terre	Earth museum; museum of the Earth
musée de l'automobile	automobile museum
musée de l'aviation; musée de l'air; musée de l'aéronautique	aviation museum; aircraft museum; aeronautics museum; air museum
musée de la vie ouvrière	labour history museum
musée de la vie rurale	country life museum; rural life museum
musée de la vie sous-marine	marine life museum; museum of marine life
musée de l'électricité	electricity museum
musée de l'électronique	electronics museum

musée de l'énergie atomique; musée de la science nucléaire; musée de l'énergie nucléaire	atomic energy museum; nuclear energy museum; nuclear science museum
musée de l'enfance	childhood museum
musée de l'enseignement; musée de la pédagogie	education museum; museum of education; museum of pedagogy; pedagogy museum
musée de l'espace	astronautics museum; space museum
musée de l'exploitation minière; musée de l'industrie minière	mining museum
musée de l'horlogerie	clockmaking museum; horology museum
musée de l'hôtellerie	hotel and catering museum
musée de l'hygiène	hygiene museum
musée de l'imprimerie	printing museum; museum of printing
musée de l'industrie	industry museum; museum of industry; manufacturing industries museum
musée de l'industrie forestière; musée de la forêt; musée de la foresterie; musée du bois et de la forêt	forestry museum
musée de l'industrie minière; musée de l'exploitation minière	mining museum
musée de l'industrie navale; musée de la construction navale	shipbuilding industry museum
musée de l'informatique	computer science museum
musée de l'or	gold museum
musée de l'outillage agricole; musée d'instruments aratoires; musée d'instruments agricoles; musée d'outils agricoles	agricultural implements museum; museum of agricultural implements
musée de l'urbanisme	town planning museum; museum of town planning
musée de malacologie	malacology museum
musée de maquettes; musée de modèles	museum of models

musée de minéralogie	mineralogy museum; museum of mineralogy
musée de modèles; musée de maquettes	museum of models
musée de moulages et de reproductions	casts and reproductions museum; museum of casts and reproductions
musée d'entomologie	entomology museum
musée d'entreprise	company museum
musée de numismatique	numismatic museum
musée de paléontologie	paleontology museum; museum of paleontology
musée de paléontologie animale	animal paleontology museum; museum of animal paleontology
musée de paléontologie végétale	vegetal paleontology museum; museum of vegetal paleontology; paleobotanical museum
musée de paléontologie végétale et animale	vegetal and animal paleontology museum; museum of vegetal and animal paleontology
musée de parc national	national park museum
musée de pathologie sociale	social pathology museum
musée de peinture; pinacothèque	paintings gallery; picture gallery
musée de période historique	historical period museum
musée de philatélie	philately museum
musée de philosophie	philosophy museum
musée de plein air	open-air museum
musée de province; musée provincial	provincial museum
musée de psychologie et de psychiatrie	psychology and psychiatry museum
musée de quartier	neighbourhood museum
musée de recherche	research museum
musée des arts appliqués	applied arts museum; museum of applied arts

musée des arts décoratifs	decorative arts museum
musée des arts du spectacle	performing arts museum; museum of performing arts
musée des arts et traditions populaires	popular arts and traditions museum; museum of popular arts and traditions; museum of folk art and traditions
musée des arts graphiques	graphic arts museum; museum of graphic arts
musée des beaux-arts	fine arts museum; museum of fine arts
Musée des beaux-arts du Canada; Galerie nationale du Canada (ancien nom)	National Gallery of Canada
musée de science politique	political science museum
musée de sciences naturelles; musée d'histoire naturelle	natural history museum; museum of natural sciences; museum of natural history
musée des communications	communications museum
musée de sculpture	sculpture museum; museum of sculpture
musée des douanes et de la contrebande	customs and contraband museum
musée des fêtes populaires	festivals museum
musée des jeux	game museum
musée des jouets	toys museum
musée des mathématiques	mathematical science museum
musée des métiers	trades and professions museum
musée des mouvements ouvriers	labour movements museum; museum of labour movements
musée de spéléologie	speleology museum
musée des postes; musée de la poste	postal museum
musée des produits du sol	soil products museum; museum of soil products

musée des sciences	science museum; museum of science
musée des sciences de la terre	earth sciences museum; museum of earth sciences
musée des sciences de l'information	information science museum
musée des sciences et de la technologie; musée des sciences et des techniques	science and technology museum; museum of science and technology
musée des sciences naturelles; musée d'histoire naturelle	museum of natural sciences; museum of natural history; natural history museum
musée des sciences sociales	social science museum; museum of social sciences
musée des sports; musée du sport	sports museum
musée des techniques; musée de la technologie	technological museum; technology museum
musée des techniques industrielles; musée de technologie industrielle	industrial technology museum; museum of industrial technology
musée des télécommunications	telecommunication museum
musée des textiles	textile museum
musée des traditions populaires	popular traditions museum
musée des transports	transport museum; transportation museum
musée des transports urbains	urban transport museum
musée des travaux publics	public works museum
musée des vins et spiritueux	wine and spirits museum
musée d'État	state museum
musée de technologie industrielle; musée des techniques industrielles	industrial technology museum; museum of industrial technology
musée d'ethnie	ethnic museum
musée d'ethnographie	ethnography museum; ethnographic museum; ethnographical museum; museum of ethnography

musée d'ethnographie et de folklore	ethnography and folklore museum; museum of ethnography and folklore
musée d'ethnologie	ethnology museum; museum of ethnology
musée de tribu	tribal museum
musée de zoologie	zoology museum; museum of zoology
musée d'histoire	history museum; museum of history
musée d'histoire contemporaine	contemporary history museum; museum of contemporary history
musée d'histoire culturelle	cultural history museum; museum of cultural history
musée d'histoire de la marine; musée de la marine	naval museum
musée d'histoire de la médecine	medicine history museum; museum of medicine history
musée d'histoire de la musique	music history museum; museum of music history; museum of musical history
musée d'histoire de la ville; musée d'histoire municipale	town history museum; municipal history museum
musée d'histoire de l'écriture	history of writing museum
musée d'histoire des religions	history of religion museum; museum of history of religions
musée d'histoire des sciences	history of science museum; museum of science history
musée d'histoire des sciences et techniques	history of science and technology museum
musée d'histoire des techniques	history of technology museum
musée d'histoire du commerce maritime	museum of maritime trade history
musée d'histoire industrielle	industrial history museum; museum of industrial history
musée d'histoire locale	local history museum; museum of local history

musée d'histoire militaire	military history museum; museum of military history; military museum
musée d'histoire municipale; musée d'histoire de la ville	municipal history museum; town history museum
musée d'histoire naturelle; musée de sciences naturelles	natural history museum; museum of natural sciences; museum of natural history
musée d'histoire sociale	social history museum
musée d'hydrologie	hydrology museum
musée d'ichtyologie	ichthyology museum
musée didactique	educational museum
musée d'institution	institutional museum; institution museum
musée d'instruments agricoles; musée d'instruments aratoires; musée d'outils agricoles; musée de l'outillage agricole	agricultural implements museum; museum of agricultural implements
musée d'océanographie	oceanography museum
musée d'optique	optics museum
musée d'outils agricoles; musée d'instruments aratoires; musée d'instruments agricoles; musée de l'outillage agricole	agricultural implements museum; museum of agricultural implements
musée du bois et de la forêt; musée de la forêt; musée de la foresterie; musée de l'industrie forestière	forestry museum
musée du cheval	horse museum
musée du cinéma	cinema museum; film museum
musée du cirque	circus museum
musée du commerce	commerce museum
musée du costume; musée du vêtement	costume museum
musée du livre	book museum
musée du patrimoine industriel	industrial heritage museum

musée du pétrole	oil museum; petroleum museum
musée du sel	salt museum
musée d'usine	factory museum
musée du sport; musée des sports	sports museum
musée du terroir	folk museum; homeland museum
musée du théâtre; musée d'art dramatique	drama museum; theatre museum; dramatic art museum
musée du tourisme et des voyages	tourism and travel museum
musée du verre	glass museum; museum of glass
musée du vêtement; musée du costume	costume museum
musée du vin; musée oenologique	wine museum; museum of wine
musée éclaté (néol.)	dispersed museum
musée-école (néol.)	teaching museum
musée fermé; musée clos	enclosed museum
musée ferroviaire	railway museum
musée impérial	imperial museum
musée intégré (avec la société)	integrated museum (with society)
musée interdisciplinaire	interdisciplinary museum
musée itinérant	travelling museum
musée lapidaire; lapidarium	lapidarium; lapidary arts museum
musée local	community museum; local museum
musée-maison de la culture [FRA]	cultural centre and museum
musée mobile; musée sur roues	mobile museum; museumobile
musée multidisciplinaire; musée pluridisciplinaire	multidisciplinary museum
musée municipal	city museum; municipal museum
musée national	national museum

Musée national de l'aviation	National Aviation Museum
Musée national de l'Homme (ancien nom); Musée canadien des civilisations	National Museum of Man (former name); Canadian Museum of Civilization
Musée national des postes	National Postal Museum
Musée national des sciences et de la technologie	National Museum of Science and Technology
Musée national des sciences naturelles	National Museum of Natural Sciences
musée oenologique; musée du vin	wine museum; museum of wine
musée ouvert (néol.)	open museum
musée pavillonnaire	pavilion museum
musée pluridisciplinaire; musée multidisciplinaire	multidisciplinary museum
musée polyvalent	adaptable museum
musée pour enfants	children's museum
musée pour les jeunes	junior museum
musée privé	private museum
musée provincial; musée de province	provincial museum
musée public	public museum
musée régional	regional museum
musée royal	royal museum
musée sans murs	museum without walls
musée souterrain	underground museum; subterranean museum
musée spécialisé	specialized museum
musée sur roues; musée mobile	mobile museum; museumobile
musée télévisé	museum-by-television; televised museum
musée universitaire	university museum

musée vivant	living museum
muséobus	museobus; museum bus
muséographe (néol.)	museographer (neol.)
muséographie	museography
muséographique	museographical (neol.)
muséologie	museology
muséologique (adj.)	museological (adj.)
muséologue	museologist
muséo-pédagogie	museology teaching; teaching of museology
muséotrousse	museum kit

n

naturalisation (d'animaux ou de plantes)	mounting (of a dead animal or a plant, for exhibition)
nébulisation (de pesticide)	fogging (of pesticide)
négligence; mauvais entretien (d'un objet)	neglect (of an object)
nettoyage	cleaning
nettoyage chimique	chemical cleaning
niveau de bruit	noise level
nombre de visiteurs prévus; nombre de visiteurs attendus; espérance de visite	estimated attendance; expectation of attendance
norme de musée	museum standard
note explicative; texte d'accompagnement	explanatory note; explanatory text
nouveau visiteur	new visitor; first-time visitor
numéro d'acquisition; numéro d'enregistrement	accession number; inventory number; registration number
numérotage (des objets)	numbering (of objects)

O

objet; objet façonné	artifact; artefact
objet à trois dimensions; objet tridimensionnel	three-dimensional object
objet culturel	cultural object
objet d'art	art object
objet d'artisanat	handicraft object
objet de fouille(s)	excavation find; excavation discovery; find (n.)
objet de fouille archéologique; découverte archéologique	archaeological find
objet de grande dimension	large object
objet de musée	museum object
objet d'exposition; objet exposé	exhibit (n.); exhibition object (when referring to only one object)
objet disparu; objet perdu	lost object; object lost
objet domestique	household object; domestic object
objet éducatif	educational object
objet ethnographique	ethnographic object
objet exposé; objet d'exposition	exhibit (n.); exhibition object (when referring to only one object)
objet exposé en plein air	outdoor exhibit
objet fabuleux; objet légendaire	legendary object
objet façonné; objet	artifact; artefact
objet familier	familiar object
objet historique	historical object
objet insolite	strange object

objet légendaire; objet fabuleux	legendary object
objet manquant	missing object
objet muséal	museum-quality object; object of museum value
objet original	original object
objet perdu; objet disparu	lost object; object lost
objet pétrifié	petrifact
objet présenté	displayed object
objet profane	secular object
objet rare; pièce rare	rarity
objet religieux	religious object
objets de collection	collectables; collectibles
objets hétéroclites	miscellaneous objects
objets principaux d'une exposition; objets vedettes	exhibition highlights
objet témoin	reference object
objet tridimensionnel; objet à trois dimensions	three-dimensional object
objet type	type object
objet volé	stolen object; object stolen
octroi de statut (de musée)	accreditation (of a museum)
oeuvre collective	collective work
oeuvre commandée; commande	commissioned work
oeuvre d'art	work of art
oeuvre d'art holographique	holographic artwork
oeuvre de petit format; petit format	small size work
oeuvre en mallettes	art kit
oeuvre majeure	major work

oeuvre marquante	outstanding work
oeuvre moderne	modern work
oeuvre multimédia	multi-media work; mixed media work
opinion du public	public's opinion
ordinateur central	central computer
orfèvrerie	goldsmithery
organigramme (de musée)	organization chart (of a museum)
organisateur d'exposition	exhibition organizer
organisation des musées	museum organization; organization of museums
organisme à but non lucratif; organisme sans but lucratif	non-profit organization; not-for-profit organization
organismes végétaux destructeurs	destructive plant organisms
original (n.); pièce originale	original (n.)
origine profane	secular origin

p

paléobiologie	paleobiology
paléobotanique	paleobotany
paléographie	paleography
paléomycologie	paleomycology
paléontologie	paleontology; palaeontology
paléozoologie	paleozoology
palettisation	palletizing
palynologie	palynology
PAM; Programme d'appui aux musées	MAP; Museum Assistance Program
panneau	panel
panneau alvéolé	pegboard

panneau de bois (support de tableau)	wood panel (painting support)
panneau de verre	glass panel
panneau d'exposition	display panel; exhibition panel
panneau d'information	information board; information panel
panneau d'orientation	orientation board; orientation panel
panneau en tôle perforée	perforated sheet metal panel
panneau explicatif	text panel
panneau mobile	mobile panel; movable panel
panneau mural	wall panel
panneau pivotant; panneau tournant	revolving panel
panorama	panorama
papyrologie	papyrology
parasite	parasite
parcours suggéré; circuit signalisé; circuit fléché	marked circuit
parrainage; commandite	sponsorship
partage de patrimoines	sharing of heritages
participation du public (aux activités muséales)	public participation (in museum activities)
passe-partout	mat; passe-partout (used in mounting pictures)
passer une commande à un artiste; commander (une oeuvre)	commission (v.) (a work)
patrimoine (culturel, industriel, naturel, public, etc.)	heritage (cultural, industrial, natural, public, etc.)
patrimoine archéologique	archaeological heritage
patrimoine architectural	architectural heritage
patrimoine artistique	artistic heritage
patrimoine culturel; héritage culturel	cultural heritage

patrimoine de nature; patrimoine naturel	natural heritage
patrimoine industriel (machines, usines, mines anciennes)	industrial heritage (old machinery, factories, mines, etc.)
patrimoine muséal	museum heritage
patrimoine muséal ethnographique	ethnographic museum heritage
patrimoine naturel; patrimoine de nature	natural heritage
patrimoine public	public heritage
patrimoine sous-marin	underwater heritage
patrimoine subaquatique	underwater heritage
peinture	painting
peinture abstraite	abstract painting
peinture murale	wall painting; mural
peinture rupestre	rock painting
peinture sur bois	panel painting
peinture sur papier	paper painting
peinture sur rouleau	scroll painting
peinture sur toile	canvas painting
penderie mobile (pour textiles en rouleaux); système de penderie mobile	mobile hanging storage system (for rolled textiles)
périmètre de sécurité (des oeuvres, du bâtiment)	security perimeter (of works, of building)
permis de collecte	collecting permit
permis de fouille(s); autorisation de fouille(s)	excavation licence; excavation permit
permis d'exportation	export licence; export permit
personnel	personnel; staff
personnel bénévole	volunteer personnel; volunteers

personnel d'accueil	reception personnel
personnel de bureau	office staff; clerical staff
personnel de musée; personnel muséal	museum personnel; museum staff
personnel de sécurité	security staff
personnel de surveillance	surveillance staff
personnel muséal; personnel de musée	museum staff; museum personnel
personnel scientifique	scientific staff
pesticide (contre les animaux ou les plantes nuisibles)	pesticide (against harmful animals or plants)
petit format; oeuvre de petit format	small size work
philosophie muséale; philosophie des musées	museum philosophy
phonogramme; enregistrement sonore	sound record
phonothèque	sound library; sound-recording library
phonothèque; discothèque	record library
photographie aérienne	aerial photography
photographie à infrarouge	infrared photography
photomontage	photomontage
photothèque	photographic library
pictogramme	pictogram; pictograph
pièce de céramique; céramique	ceramic
pièce de monnaie	coin
pièce originale; original (n.)	original (n.)
pièce rare; objet rare	rarity
pièce unique	unique object
pillage	pillage; looting
pinacothèque; musée de peinture	paintings gallery; picture gallery

plan (à l'usage du public)	location plan (for public's use)
plan au sol (d'un bâtiment)	ground plan (of a building)
plan d'accrochage	hanging plan
plan de classification	classification scheme
plan de collecte	collecting plan
plan de collection	collection plan
plan de conservation	conservation plan
plan de développement (d'un musée)	development plan (of a museum)
plan de fouille(s)	excavation plan
plan de restauration	conservation plan
plan de section (à l'usage du public)	section plan (for public's use)
plan de sécurité	security plan
plan d'étage	floor plan
plan d'exposition	exhibition floor plan
plan d'installation (d'une exposition)	installation plan (of an exhibition)
planétarium	planetarium
planification	planning
planification à long terme (du développement d'un musée)	long-range planning (of a museum development)
planification alternative; planification des mesures d'urgence; plans d'urgence	contingency planning
plante nuisible	pest
plan topographique	topographical plan
plaque commémorative	commemorative plaque; memorial plaque; memorial tablet
plaque de donateur	donor plaque
plastifiant (n.m.)	plasticizer (n.)

plastification (de documents fragiles)	lamination (of fragile documents)
plateau (de stockage); plate-forme	platform (for storage)
plateau suspendu; plate-forme suspendue	suspended platform
plate-forme; plateau (de stockage)	platform (for storage)
plate-forme de chargement	loading dock
plate-forme suspendue; plateau suspendu	suspended platform
plâtre (pour moulages)	plaster (for castings)
plein soleil	full sunlight
pluralité des cultures	cultural multiplicity
point d'attraction	eye-catcher
point de vente	sales outlet
politique culturelle	cultural policy
politique d'achat; politique d'acquisition	acquisition policy; acquisitions policy; purchasing policy
politique de conservation	conservation policy
politique d'enrichissement de la collection	collection policy
politique de restauration	conservation policy
politique des publications	publications policy
politique d'exposition	exhibition policy
politique du musée	museum policy
politique du patrimoine	heritage policy
politique éducative	educational policy
politique en matière de collections; politique relative à la collection	collection policy
politique générale	overall policy
politique nationale des musées	national museums policy

politique relative à la collection; politique en matière de collections	collection policy
pollution atmosphérique	air pollution
polyvalence (des bâtiments, des locaux)	adaptive use (of buildings, space)
porte coupe-feu	fire door; fireproof door
porte-étiquette	label holder
pose de passe-partout	matting
poste central de surveillance	central control post
poste de contrôle de la sécurité	security control station
poste local de surveillance	local control post
pourcentage équilibré (d'humidité)	balanced ratio (of humidity)
pourriture humide	wet rot
pourriture sèche	dry rot
pouvoir d'assimilation (des visiteurs)	information retention (by visitors)
pratiques culturelles	cultural customs
préparateur (de spécimens, etc.)	preparator (of specimens, etc.)
préparateur en chef	chief preparator
préparatifs (plur.) pour le transport	preparation for transport
préparation d'expositions	preparation of exhibitions
préposé au registre; préposé à l'enregistrement; archiviste	registrar
présentation	display (n.)
présentation animée	animated display
présentation audiovisuelle	audio-visual display
présentation chronologique	chronological display
présentation comparative	comparative display
présentation défectueuse	defective display

présentation d'époque	period display
présentation didactique	educational display
présentation d'objets	display of objects
présentation écologique	ecological display
présentation en plein air	open-air display; outdoor display
présentation en vitrine	showcase display
présentation esthétique	aesthetic display
présentation géographique	geographical display
présentation historique	historical display
présentation intégrale	integral presentation
présentation intégrée	integrated display
présentation libre	open display
présentation par catégorie	display by category
présentation par genre	display by type
présentation par technique	display by technique
présentation permanente	permanent display
présentation pour handicapés visuels; présentation pour malvoyants	display for the visually impaired
présentation sur place	display *in situ*
présentation synchronique	synchronic display; synchronous display
présentation synoptique	synoptic display
présentation systématique	systematic display
présentation théâtrale	dramatic display
présentation thématique	thematic display
présentoir	display stand
préservation	preservation

prêt (d'objets de musée)	loan (of museum objects)
prêt à durée illimitée	indefinite loan
prêt à long terme	long-term loan
prêt de collection	collection loan; loan of collection
prêt de film	movie loan
prêt d'objet	object loan; loan of object
prêteur (d'un objet de musée)	lender (of a museum object)
prêt international	international loan
prévention de la corrosion	corrosion prevention
prévention des désastres	disaster preparedness
prévention d'incendie	fire prevention
principes de conservation	conservation principles
principes de restauration	conservation principles
prise de guerre	spoil; spoil of war
prix (récompense); distinction	award
procédé automatique	automatic method
procédé Nucléart (utilisant un rayonnement)	Nucléart process (using radiation)
production de recettes	revenue generation
produit artisanal	craft product
produit chimique	chemical product
produit d'emballage	packing material
produit inflammable	flammable product; inflammable product
produit nocif	harmful product
produits solides	dry stock
profession muséale	museum profession

profil de musée	museum profile
profil du visiteur	visitor profile
programmation (d'une exposition)	programming (of an exhibition)
programmation de musée	museum programming
programme d'activités muséales	program of museum events
programme d'animation; programme éducatif	educational program; education program; learning program
programme d'appui	assistance program; support program
Programme d'appui aux musées; PAM	Museum Assistance Program; MAP
programme d'art dramatique	dramatic art program
programme de conservation	conservation program
programme de diffusion externe	outreach program
programme de musée	museum program
programme de restauration	conservation program
programme d'exposition	exhibition program
programme didactique; programme d'interprétation	interpretive program
programme éducatif; programme d'animation	education program; educational program; learning program
programmer (des acquisitions)	program (v.) (acquisitions)
projecteur	spotlight
projection sur place	projection *in situ*
projet de fouille(s)	excavation project
projet d'exposition	exhibition project
propriété	ownership
propriété artistique	artistic property
propriété intellectuelle	intellectual property
protecteur (des arts); mécène	patron (of the arts)

protection (des objets, des sites, des patrimoines, des monuments, etc.)	protection (of objects, sites, heritages, monuments, etc.)
protection contre la chaleur	protection against heat
protection contre la corrosion	protection against corrosion
protection contre la dégradation; protection contre les altérations	deterioration prevention; prevention of deterioration
protection contre la lumière	protection against light
protection contre la poussière	dust proofing
protection contre le bruit	protection against noise
protection contre les altérations; protection contre la dégradation	deterioration prevention; prevention of deterioration
protection contre les dégâts; protection contre les dommages	damage prevention; prevention of damage
protection contre les inondations	flood protection; protection against floods
protection contre les insectes nuisibles	protection from pests; protection against pests
protection contre les mites	mothproofing
protection contre les risques	risk prevention; prevention of risks
protection contre les séismes; protection contre les tremblements de terre	earthquake protection; seismic protection
protection contre les tremblements de terre; protection contre les séismes	earthquake protection; seismic protection
protection contre les vibrations	protection against vibration
protection contre le vandalisme	protection against vandalism; prevention of vandalism
protection contre le vol	theft prevention; protection against theft
protection contre l'humidité	protection against humidity
protection contre l'incendie; protection-incendie	fire protection; protection against fire

protection des lieux historiques	historic site protection; protection of historic sites
protection des sites	site protection; protection of sites
protection extérieure	outer protection
protection extérieure (des monuments)	external screening (of monuments)
protection intérieure	interior protection
protection-incendie; protection contre l'incendie	fire protection; protection against fire
protection *in situ*; protection sur place	*in situ* protection
protection mécanique (des issues)	mechanical protection (of exits)
protection périphérique (du musée)	perimeter protection; protection of perimeter (of a museum)
protection sur place; protection *in situ*	*in situ* protection
protéger (les collections)	protect (collections)
psychologie du visiteur	visitor psychology
publications muséographiques (plur.)	museum literature
publications muséologiques (plur.)	museological literature
public des musées; clientèle des musées	museum public; museum audience; museum-going public
public habituel; visiteurs habituels	regular visitors (pl.)
public potentiel	potential public
public spécialisé	specialized public
puits de lumière	skylight
pupitre de commande (pour télésélection automatique)	control console (for automatic teleselection)
pupitre d'écrans (pour la surveillance du musée)	screens console (for surveillance of museum)
pupitre indicateur	indicator stand
pureté de l'air	air purity

q

qualité de la lumière	light quality
qualité de l'éclairage	lighting quality
qualités expressives (d'une oeuvre)	expressive qualities (of a work of art)
qualités techniques (d'une oeuvre)	technical qualities (of a work of art)
qualité visuelle (d'une exposition, d'une oeuvre d'art)	visual quality (of an exhibition or work of art)

r

rail d'accrochage	hanging rail; sliding rail
rail fixé au plafond	ceiling rail
rainure d'accrochage	hanging groove
rampe fluorescente	fluorescent strip
rampe lumineuse	lightstrip
rangement en armoire	cabinet storage
rapport de découverte	report of finds
rapport de fouille(s); compte rendu de fouille(s)	excavation record; excavation report
rapport de recherche sur le terrain	field-trip record
rapport d'inventaire	inventory report
rapport sur l'état de conservation (des oeuvres)	condition report; conservation report
rareté	rarity
rationalisation muséographique	museum rationalization
rayonnage; étagères	shelving
rayonnage métallique; rayons métalliques (plur.); étagères métalliques (plur.)	metal shelving

rayons (plur.) en treillis de plastique; étagères (plur.) en treillis de plastique	plastic wire mesh shelving
rayons métalliques (plur.); étagères métalliques (plur.); rayonnage métallique	metal shelving
rayons métalliques réglables; étagères métalliques réglables; étagères métalliques mobiles	adjustable metal shelving system
rayons mobiles; étagères mobiles; étagères réglables	adjustable shelving
RCIP; Réseau canadien d'information sur le patrimoine	CHIN; Canadian Heritage Information Network
réagencement des collections; réorganisation des collections	rearrangement of collections; reinstallation of collections; reorganization of collections
réalisations culturelles	cultural achievements
réalisations du passé	achievements of the past
récépissé d'acquisition	acquisition receipt
récépissé de remise (d'objet)	delivery note
recettes (plur.)	revenue
recherche archéologique	archaeological research
recherche des sources	source research
recherche en laboratoire	laboratory research
recherche historique	historical research
recherche muséale	museum research
recherches méthodiques	systematic research
recherche sur le public	audience research
reconstitution	reconstruction
reconstitution intégrale	complete reconstruction
reconversion de monument historique	conversion of historic monument
réencollage (du papier)	resizing (of paper)

registre	register
registre de prêt	loan record; loan register
registre de réserve	storage record
registre des acquisitions	accession register; accessions register; accessions book; acquisitions register
registre des objets de fouille(s)	finds register; finds notebook
registre informatisé	computerized record
registre topographique	location register
règlement	regulations (customs, export, government, import, etc.)
règlement	rules and regulations (pl.)
règlement administratif (d'un musée)	by-law
réglementation de l'exportation (d'objets culturels)	export regulations (for cultural objects)
réglementation de l'importation (d'objets culturels)	import regulations (for cultural objects)
règlement interne (du musée)	working regulations (pl.) (of the museum)
régler; régulariser (l'humidité, la température); contrôler (À ÉVITER)	control (v.); regulate (humidity, temperature, etc.)
regroupement (d'objets exposés)	grouping (of displayed objects)
regroupement par phase	grouping by stage
régulariser (l'humidité, la température); régler; contrôler (À ÉVITER)	control (v.); regulate (humidity, temperature, etc.)
régulation (de la température, de la pression, de l'humidité, de l'éclairage, etc.)	control (n.) (of temperature, pressure, humidity, lighting, etc.)
régulation de la pureté de l'air	air purity control
régulation de la température; régulation thermique	temperature control; temperature regulation
régulation de l'humidité	humidity control; humidity regulation

régulation des conditions ambiantes	museum environment control; environmental control
régulation du climat	climate control
régulation du microclimat	microclimate control
régulation thermique; régulation de la température	temperature control; temperature regulation
relationniste	public relations officer
relations publiques	public relations
relevé de fouille(s)	excavation sketch
reliques (du passé)	relics (of the past)
reliure	bookbinding
rembourrage	padding
remise des objets de fouille	delivery of finds
renforcement (de textiles)	reinforcing (textiles)
renouvellement des collections	renewal of collections
réorganisation des collections; réagencement des collections	rearrangement of collections; reinstallation of collections; reorganization of collections
réorganisation du musée	museum reorganization
réouverture	reopening
répertoire de musées	museum directory; museums directory; directory of museums
répertoire national (d'objets culturels, de collections, de sites, etc.)	national inventory (of cultural objects, collections, sites, etc.)
réplique	replica
reproduction	reproduction
Réseau canadien d'information sur le patrimoine; RCIP	Canadian Heritage Information Network; CHIN
réseau de communication (entre musées)	communication network (between museums)

réseau de coopération (entre musées)	co-operation network
réseau de l'art; circuit de l'art	art network
réseau informatique	computer network
réserve	storage; storeroom
réserve (naturelle, d'oiseaux, d'animaux sauvages, etc.)	reserve; preserve
réserve accessible	open storage
réserve à ciel ouvert	outdoor storage
réserve naturelle	natural reserve
réserves (plur.)	storage area
réserve suspendue	hanging storage
réserve visitable	visible storage
résistance au feu	resistance to fire
responsable de la sécurité; agent de sécurité	security officer
responsable des réserves	storekeeper
restaurateur	conservator; restorer
restaurateur de tableaux	paintings conservator
restaurateur en chef; restaurateur principal	chief conservator; head conservator; chief restorer; senior restorer
restauration	conservation
restauration	restoration
restauration des peintures	paintings restoration
restauration *in situ*; restauration sur place	*in situ* conservation; on site conservation
restauration irréversible	irreversible restoration
restauration réversible	reversible conservation treatment; reversible restoration

restauration sur place; restauration *in situ*	on site conservation; *in situ* conservation
restaurer	conserve (v.)
restaurer	restore (v.)
restes (plur.); restes humains (plur.)	human remains (pl.); remains (pl.)
restes d'habitat (plur.)	settlement remains (pl.)
restes humains (plur.); restes (plur.)	human remains (pl.); remains (pl.)
restitution (d'un objet à son propriétaire)	restitution (of an object to its rightful owner)
restitution (d'un objet prêté); retour	return (of object on loan)
retouche	retouch (n.)
retour; restitution (d'un objet prêté)	return (of object on loan)
retrait (des objets de la réserve)	retrieval (of objects from storage)
retrait d'inventaire; aliénation	deaccession; deaccessioning; deacquisition
rétrécissement (textiles)	shrinkage
rétrospective (n.f.); exposition rétrospective	retrospective exhibition
revêtement (d'une surface)	covering (of a surface)
risque d'incendie	fire risk
rôle des musées; fonction des musées	function of museums; role of museums
rôle éducatif (du musée)	educational function; educational role (of a museum)
ronde de sécurité	security check
ruban de papier métallique	metal foil strip
ruines (plur.)	ruins (pl.)

S

salle; galerie	gallery; room

salle commémorative	commemorative room; memorial room
salle d'accueil	reception room
salle d'activités	activity room
salle de cinéma; cinéma	cinema hall; movie room
salle de conférence	lecture hall; lecture theatre; lecture room
salle de contrôle de la sécurité	security control room
salle de démonstration	demonstration room
salle d'emballage	packing room
salle de lavage (des objets)	washing area (washing of objects)
salle de lecture	reading room
salle d'époque	period room
salle de portraits; cabinet de portraits [FRA]	portrait exhibition room
salle de projection	projection room
salle de repos	rest room; resting room
Salle des autochtones	Native Peoples Hall
salle des découvertes	discovery room
salle des estampes; cabinet des estampes [FRA]	print room
salle des expositions permanentes	permanent exhibition hall; permanent exhibition room
salle des expositions spéciales	special exhibition gallery; special exhibition room
salle des expositions temporaires	temporary exhibition gallery
salle des monnaies et médailles; galerie des monnaies et médailles; cabinet des monnaies et médailles [FRA]	coins and medals gallery; numismatic gallery; coins and medals room; numismatic room
salle des sciences; galerie scientifique	science room; science gallery
salle de travail	workroom

salle de veille (pour les gardiens)	guardroom
salle de visionnement	screening room
salle d'exposition; galerie d'exposition	exhibition gallery; exhibition room; exhibit gallery
salle d'exposition d'oeuvres d'art	art exhibition hall
salle d'exposition interdisciplinaire	interdisciplinary exhibition gallery
salle d'introduction; salle d'orientation	introduction room; introductory room; orientation room
salle polyvalente	multi-purpose hall; multi-purpose room
salon	lounge
salon de peinture	paintings exhibition
salon des dignitaires; salon d'honneur	VIP lounge
salubrité des locaux	sanitation of premises
sas	airlock
saute de température	temperature jump
sauvegarde des collections	safeguarding of collections
sauvegarder (un objet)	safeguard (v.) (an object)
sceau	seal (on a document)
sculpture antique (datant de l'antiquité)	ancient sculpture (from antiquity)
sculpture polychrome	polychrome sculpture
sculpture sur pierre	stone carving
séance d'animation	animation session
séance de projection	projection program; projection show
séchage	drying
sécheresse de l'air	air dryness
section enfantine	children's section
sécurité (des biens)	security

sécurité (des personnes)	safety
sécurité à l'extérieur; sécurité extérieure	external security; outside security
sécurité des collections	collections security; security of collections
sécurité des visiteurs	visitor security; security of visitors
sécurité du personnel	personnel security; security of personnel
sécurité du public	public's safety
sécurité extérieure; sécurité à l'extérieur	external security; outside security
sécurité intérieure	internal security
sécurité physique	physical security
sécurité vol/incendie	fire and theft safety
sélection (d'objets pour une collection, une présentation); choix	selection; choice (of objects for a collection or display)
semaine des musées	museums week; museum week
séminaire	seminar
sentier d'initiation à la nature; sentier d'interprétation de la nature	nature trail
séquence (d'objets ou de présentations)	sequence (of objects or displays)
séquence dynamique (d'objets)	dynamic sequence (of objects)
séquence sérielle (d'objets)	serial sequence (of objects)
serrure	lock
serrure à barillet	cylinder lock
serrure à mortaise	mortice lock; mortise lock
serrure à pêne dormant	dead bolt lock; dead lock
service archéologique; service d'archéologie; département d'archéologie	archaeological department
service auxiliaire	auxiliary service; ancillary service

service consultatif	advisory service
service d'accueil	reception service
service d'animation; service éducatif	education service; educational service; educational department
service d'archéologie; service archéologique; département d'archéologie	archaeological department
service de conservation	conservation department
service de location (d'oeuvres d'art)	rental service (of works of art)
service de prêt	lending service; loan service
service de référence	reference service
service de sécurité	security force
service des publications	publications department
service d'information pour les visiteurs	visitor information service
service éducatif; service d'animation	educational department; education service; educational service
service photographique	photography department; photographic department; photographic services department
services d'accueil aux visiteurs	visitor services
services du musée	museum services
services extérieurs (à la disposition du public)	outside services (for the public)
services hors murs	extramural services
services polyvalents	multi-purpose services
services techniques du bâtiment	building services
siccatif (n.)	drying agent
signal d'alarme; alarme	alarm
signalisation	signage
signalisation par couleurs	colour coding

signalisation poussée	elaborate signposting
signification (d'une oeuvre d'art, d'un objet, etc.)	meaning (of a work of art, an object, etc.)
site (archéologique, géologique, naturel, urbain)	site (archaeological, geological, historic, natural, urban)
site ancien	ancient site
site archéologique	archaeological site
site archéologique urbain	urban archaeological site
société archéologique	archaeological society
Société de construction des musées du Canada	Canada Museums Construction Corporation
société organisatrice du circuit; société organisatrice de la tournée (d'une exposition itinérante)	circulating agency (for a travelling exhibition)
société savante	learned society
socle	base; pedestal (of a statue, etc.)
soin (des oeuvres d'art)	care (of works of art)
solliciter la sensibilité du public; faire appel à la sensibilité du public	appeal (v.) to the public's sensitivity
sondage archéologique	trial excavation
sondage d'inventaire	inventory spot check
sonothèque	sound library; sound effects library
source écrite	· written source
source lumineuse	light source
sous-fréquentation	undervisiting
sous-verre	glass mount
souvenirs (plur.)	memorabilia (pl.)
spécialiste de musée	museum professional
spécificité des collections	collection specificity

spécimen (zoologique ou botanique)	specimen (zoological or botanical)
spécimen entomologique	entomological specimen
spécimen naturel	natural specimen; nature specimen
spécimen préparé	prepared specimen
spécimen type	type specimen
spécimen vivant (plante ou animal)	live specimen (plant or animal)
spectacle son et lumière	sound and light performance; sound and light show
stage	internship
stagiaire	intern
stand	booth; stand; stall
stand d'exposition	exhibition stand
statistiques de fréquentation	attendance statistics
statistiques sur les collections	collection statistics
statistiques sur les visiteurs	visitor statistics
statuts (de musée)	statutes; museum statutes
stockage dense	high-density storage
stockage en compartiments	compartmentalized storage
stockage en conteneurs	containerized storage
stockage fixe en rouleaux (pour textiles)	fixed rolled storage (for textiles)
stratégie d'acquisition	acquisition strategy
subdivision de l'espace	space partitioning
substance protectrice	protective substance
subvention	grant
sujet profane	secular subject
sujet religieux	religious subject
superficie d'exposition	exhibition floor space

superposé	double-stacked
support	bracket
support (pour objets divers : vase, statuette, etc.)	stand (n.) (for various objects: vase, statuette, etc.)
support (vertical)	mount; support
support en métal; support métallique	metal bracket
surface murale	wall area; wall space
surveillance	watch
surveillance automatique	automatic surveillance
surveillance des sites	supervision of sites
surveillance des visiteurs (dans les salles)	visitor control; control of visitors
surveillance par télévision	television surveillance
symétrie	symmetry
synopsis d'exposition	storyline; exhibition summary; exhibition brief
systématique (n.f.)	systematics
systématisation (des collections)	systematization (of collections)
système à berceau et supports muraux (système de stockage)	cradling and bracket system (storage system)
système à double charge (néol.)	double-loaded system
système à induction magnétique	magnetic induction system
système au halon; système d'extinction automatique au halon	halon system; automatic halon extinguishing system
système basé sur la saturation de l'espace	space saturation system
système d'accrochage	hanging system
système d'alarme	alarm system
système d'arrosage automatique	automatic sprinkler system

système de détection d'incendie	fire-detection system
système de dossiers	records system
système de fermeture automatique	automatic closing system
système d'enregistrement	recording system
système d'entreposage; système de stockage	storage system
système de numérotage	numbering system
système de penderie mobile; penderie mobile (pour textiles en rouleaux)	mobile hanging storage system (for rolled textiles)
système de radar à absorption	absorption radar system
système de rayonnage ouvert	open shelving; open-shelving system
système de sécurité; installation de sécurité	security system
système de stockage; système d'entreposage	storage system
système de stockage à glissières	sliding rack storage system; sliding rack system
système de stockage à glissières avec panneaux à chevilles	art storage boards; sliding rack storage with peg board
système de stockage à glissières avec panneaux en treillis métallique	art storage screens; sliding rack storage with wire screening
système de surveillance photographique	photographic surveillance system
système d'exposition modulaire	modular exhibition system
système d'extinction	fire-extinguishing system
système d'extinction automatique	automatic extinguisher system
système d'extinction automatique au halon; système au halon	automatic halon extinguishing system; halon system
système d'extinction par gaz	fire-extinguishing gas system
système d'intervention	intervention system
système d'inventaire	inventory system

système informatique	computer system
système mobile de stockage dense	high-density mobile storage system

t

tableau de chevalet	easel painting; easel picture
tableau en relief	three-dimensional representation
table de travail; table de manipulation (dans un laboratoire)	bench (in a laboratory)
tactile; touche-à-tout (présentation, exposition, activité, etc.)	hands-on (display, exhibit, activity, etc.)
tampon; coussinet	pad
tapisser; couvrir	cover (v.)
taux de fréquentation	attendance rate
taux d'humidité	degree of humidity
taxidermie	taxidermy
taxidermiste	taxidermist
taxinomie; taxonomie	taxonomy
technicien en conservation	conservation technician
technicien en restauration	conservation technician
techniciens	technical staff; technicians
technique d'éclairage	lighting technique; lighting method
technique de conservation	conservation technique
technique de datation	dating technique
technique d'emballage	packaging technique
technique de montage	mounting technique
technique de préparation	preparation technique
technique de restauration	conservation technique
technique de visite guidée	tour technique

technique d'exposition; méthode d'exposition	exhibition technique; exhibition method
technique muséographique	museographical technique
technique muséologique	museum technique
technique photographique d'examen	photographic technique of examination
techniques artistiques	art techniques
techniques de base; techniques fondamentales (de restauration)	basic techniques (of conservation)
technique vidéo	video technique
télématique	teleprocessing
télésélection automatique (néol.) (d'oeuvres en réserve)	automatic teleselection (neol.) (of stored works)
télévision en circuit fermé	closed-circuit television
témoignage critique	critical testimony
témoignages du passé	testimonies of the past
température élevée	high temperature
temple-musée	temple-museum
tentative de vol	theft attempt
terrain; travail sur le terrain	field work
territoire protégé	protected area
test de laboratoire	laboratory test
test de vieillissement artificiel	artificial ageing test
texte d'accompagnement; note explicative	explanatory note; explanatory text
texte d'introduction	introductory text
texte d'orientation	orientation text
texte mural	wall text
thématique (n.f.) (d'une exposition)	thematic orientation

thème (d'une exposition, d'une collection)	theme (of an exhibition or collection)
thème d'exposition	exhibition theme
thème unique (d'une exposition)	single theme (of an exhibition)
théorie de la conservation	conservation theory
théorie de la restauration	conservation theory
thermohygrographe; hygrothermographe	thermohygrograph; hygrothermograph
touche-à-tout (présentation, exposition, activité, etc.); tactile	hands-on (display, exhibit, activity, etc.)
tourisme culturel	cultural tourism
tournée; circuit d'exposition	exhibition circuit; exhibition tour (travelling exhibition)
tradition culturelle	cultural tradition
tradition orale	oral tradition
tradition populaire	folk tradition
trafic illicite (d'objets de musée)	illicit traffic (of museum objects)
train-musée	museum on rails
traité	treaty
traitement (des objets de musée)	treatment (of museum objects)
traitement chimique	chemical treatment
traitement de conservation	conservation treatment
traitement de restauration	conservation treatment
traitement de restauration d'urgence	first-aid conservation
traitement d'urgence (d'un objet de musée)	emergency treatment; first-aid treatment (of a museum object)
traitement par fumigation	fumigation treatment
traitement par rayonnement	radiation treatment
traitement physique (aux fins de restauration)	physical treatment (for restoration)

traitement préventif	preventive treatment
traitement protecteur	protective treatment
traitement scientifique	scientific treatment
traiter (un objet)	treat (v.) (an object)
transfert (d'objet)	transfer (of object)
transit	transit
travail archéologique sur le terrain; mission archéologique	archaeological field work
travail ethnographique sur le terrain	ethnographic field work
travail géologique sur le terrain	geological fieldwork
travail hors murs	outside work
travail sur le terrain; terrain	field work
travaux préparatoires	preparatory work
treillis métallique	wire mesh; wire screening
trésor	treasure-trove
trésor artistique	art treasure
trésor d'église	church treasure
trésor de sanctuaire	sanctuary treasure
trouvaille; découverte	find (n.)
trouvaille isolée	stray find
type d'objet	type of object; object type

u

ultraviolet (n.); lumière ultraviolette; ultra-violet (n.)	ultraviolet; ultraviolet light
unicité	uniqueness
usage des collections; utilisation des collections	use of collections; utilization of collections; collection usage

usager de musée; client de musée	museum user
usure	wear; wear and tear
utilisation des collections; usage des collections	use of collections; utilization of collections; collection usage
utilisation des musées	museum use
utilisation optimale de l'espace	optimum use of space

V

valeur (d'un objet, d'une collection)	value (of an object or collection)
valeur artistique	artistic value
valeur communicative (des objets de musée)	communicative value (of museum objects)
valeur de rareté	rarity value
valeur esthétique	aesthetic value
valeur estimée; évaluation	appraised value; appraisal; valuation; estimated value; estimate
valeur historique	historical value; historic value
valeur informative (d'un objet, d'un texte)	informative value (of an object or text)
valeur marchande	market value
valeur symbolique	symbolic value
vandalisme (subi par les objets ou les installations de musée)	vandalism (of museum objects or facilities)
vapeur nocive	harmful vapour
vaporisation	spraying
vaporisation de fongicide	fungicide spray; atomization of fungicide
variation diurne (de température)	diurnal range (of temperature)
veilleur de nuit; gardien de nuit	night guard; night watchman
velum; vélum	velum

vente aux enchères	auction
ventilation; aération	ventilation
ver bibliophage	bookworm; book-eating worm; bibliophagous worm
vérification de la collection; vérification du fonds	inspection of collection; collection control; collection check
vérification d'inventaire	inventory control
vérification du fonds; vérification de la collection	inspection of collection; collection control; collection check
vernaculaire (adj.)	vernacular (adj.)
vernissage (d'une exposition d'oeuvres d'art)	vernissage (of an art exhibition)
verre filtrant	light protective glass
verre incassable (pour vitrines)	shatterproof glass (for display cases)
verrerie (objets en verre)	glassware
verrou à levier posé à mortaise	lever-type flush bolt
vestiges (plur.) (d'un bâtiment)	remains (pl.); vestiges (pl.) (of a building)
vestiges archéologiques	archaeological remains
vestiges culturels	cultural remains
vêtement; costume	costume
vidéo	video
vidéodisque	videodisc
vidéothèque	video library
vie animale	animal life
vieillissement (des objets de musée)	ageing; aging [USA] (of museum objects)
village historique	historic village
village reconstruit	reconstructed village

ville-musée	museum town
visite (du musée)	tour (of a museum)
visite audioguidée	audioguided tour; recorded tour; audiotour
visite commentée; visite guidée	guided tour; talking tour
visite-conférence	gallery talk
visite d'atelier	workshop visit
visite de groupe	group visit; party visit
visite de musée	museum visit; museum tour
visite de musée organisée	organized museum tour
visite générale	general tour
visite guidée; visite commentée	guided tour; talking tour
visite guidée individuelle	individual guided tour
visite guidée par un spécialiste	professionally guided tour
visite scolaire	school visit
visite thématique	thematic tour
visiteur à mobilité réduite	mobility-impaired visitor
visiteur assidu	frequent visitor; repeat visitor
visiteur de musée	museum visitor
visiteur en groupe	group visitor
visiteur étranger	foreign visitor
visiteur handicapé	disabled visitor; handicapped visitor
visiteur handicapé physique	physically-handicapped visitor
visiteur isolé	individual visitor
visiteur malentendant	hearing-impaired visitor; partially-deaf visitor
visiteur malvoyant	visually-impaired visitor

visiteur occasionnel	occasional visitor
visiteurs habituels; public habituel	regular visitors (pl.)
vitrine; vitrine d'exposition	showcase; display case
vitrine autoportante	free-standing case; standing case; free-standing showcase
vitrine centrale	central showcase
vitrine-cloche	hood showcase
vitrine-cloison	partition display case
vitrine-cube	cubic display case
vitrine démontable	demountable case
vitrine d'exposition; vitrine	showcase; display case
vitrine encastrée	built-in showcase
vitrine extérieure	window showcase
vitrine horizontale	horizontal showcase
vitrine isolée	island case
vitrine mobile	mobile showcase; movable showcase; mobile case
vitrine murale	wall showcase; wallcase
vitrine normalisée	standardized display case
vitrine-panneau	panel display case
vitrine portative	portable showcase; portable display case; travelling display case
vitrine-pupitre	desk showcase
vitrine suspendue	suspended showcase
vitrine-table	table-display case; table showcase; tabletop case
vitrine transformable	adjustable case
vitrine verticale	vertical showcase

vivarium	vivarium
vol avec effraction; cambriolage	burglary
volume intérieur	inside volume
voyage d'étude	study trip
vrillette; anobie	woodworm
vulgarisation; diffusion externe	extension
vulgarisation scientifique	popularization of science

Z

zone d'accès restreint	restricted area
zone protégée	listed buildings area; protected historic district

Annexe 1 / Appendix 1

Vocabulaire anglais-français de la restauration des peintures/ English-French Vocabulary of Paintings Restoration

accretion

incrustation

Dépôt accidentel de corps étrangers sur la surface d'un tableau.

adhesion

adhérence

Ensemble des forces de liaison qui s'exercent entre un feuil et son subjectile (v. film et support).

alligatoring

lézardage

Fissurations peu profondes, mais plus larges que celles du faïençage et dessinant des contours polygonaux relativement réguliers.

anchorage

accrochage

Solidité d'assemblage de deux feuils successifs, ou d'un feuil sur son subjectile.

area

plage

Partie déterminée d'un tableau.

backing canvas; lining canvas

toile de doublage

binocular magnifier

loupe binoculaire

Instrument servant à observer le relief des tableaux.

blanching

blanchiment

Altération de couleur, le plus souvent uniforme, d'un feuil de peinture (de couleur autre que blanche).

bleeding

saignement

Diffusion intervenant entre deux couches superposées, voire entre le subjectile et le feuil, entraînant une altération de la couleur d'une couche de surface.

blistering	cloquage Boursouflures qui se forment dans la couche de préparation et dans la couche picturale.
bloom	bleuissement Voile d'un ton légèrement bleuâtre qui se forme à la surface d'une couche de vernis.
blush	opalescence Aspect d'un feuil de vernis dont la transparence initiale est altérée dans sa masse.
bubbling; frothing	bullage Apparition de bulles ou de pores.
buckling	gondolage Ondulations accentuées à la surface d'une peinture.
bulge	bosse Déformation se produisant sur des matériaux relativement tendres ou peu flexibles qui cèdent sous la pression d'un objet contondant.
button	taquet Morceau de bois, biseauté ou non, que l'on colle sur les joints et les ruptures d'un panneau de bois afin de les consolider.
carbon 14 dating	datation au carbone 14 Méthode de datation des éléments constituant la matière picturale, qui se fonde sur leur teneur en radiocarbone.
chalking	farinage Pulvérulence de l'un ou plusieurs des constituants du feuil.
checking	faïençage Réseau plus ou moins serré de fissures superficielles, dont le dessin rappelle celui qu'on observe dans la couverte de certaines faïences.

cissing; crawling; creeping	retrait Défaut d'une peinture ou d'un vernis qui ne recouvre pas uniformément une surface.
cleaning	nettoyage Enlèvement des salissures, du vernis décoloré et des repeints par l'application minutieuse d'un solvant.
cleavage	clivage Séparation horizontale entre la couche picturale et le support ou entre deux couches.
consolidant	agent de consolidation; produit de consolidation; consolidant
consolidation	fixage; refixage Opération consistant à refixer les couches de revêtement qui se sont détachées par endroits de leur support.
cracks; crackle; cracking; craquelure	craquelures Stries ou fissures perpendiculaires à la surface d'une peinture, disposées dans un réseau à mailles plus ou moins régulières et serrées. Selon leur forme, on parle de craquelures en escargot, en toile d'araignée, etc.
cradle	parquet Assemblage d'origine ou de restauration destiné à maintenir plan un panneau en le rendant moins fragile.
cradling	parquetage Application d'un parquet au verso d'un panneau.
craquelure SEE cracks	
crawling SEE cissing	
crazing	fissuration Réseau de craquelures microscopiques dans un vernis.

crease	pliure
	Pli apparaissant sur un tableau étant donné la propension de la toile tantôt à s'allonger, tantôt à se rétracter.
creeping SEE cissing	
crossbar	traverse
	Pièce de bois utilisée pour consolider les châssis.
cross section	coupe transversale
	Méthode d'observation qui consiste à inclure un minuscule fragment de la matière picturale dans une résine polyestérifiée autodurcissable à froid.
cupping	cuvettes
	Îlots qui tendent à se recoquiller sans toutefois se détacher.
damage	accident
	Collectif employé pour désigner les altérations causées par un agent extérieur ou par le travail du support.
darkening	assombrissement
	Jaunissement plus ou moins prononcé d'un vernis.
deacidification	désacidification
dent	dépression
	Enfoncement concave se présentant à la surface d'une oeuvre.
devitrification; weathering of glass	dévitrification
embrittlement	friabilité
	Réduction sensible de la souplesse du feuil, de sa cohésion et de son adhérence initiales.
endurance to separation; separation endurance	tenue au décollement
exfoliation	exfoliation
	Séparation et décollement d'une ou plusieurs couches du feuil.

facing	cartonnage
	Application, sur le côté face, d'un revêtement cartonneux composé de plusieurs feuilles de papier et éventuellement renforcé par une gaze ou une ou plusieurs toiles collées.
fading	décoloration
	Pâlissement de la couleur dû à une altération chimique du pigment ou du colorant.
false crackle	fausse craquelure
fat over lean	gras sur maigre
	Règle selon laquelle une couche maigre peu chargée en huile adhère mal sur une couche riche en huile.
filling; stopping	bouchage; masticage
	Remplissage des lacunes et imperfections diverses à l'aide d'une substance appropriée.
film	feuil
	Pellicule mince résultant de l'application sur un subjectile d'une ou plusieurs couches de peintures, vernis, ou préparations assimilées et constituant tout ou partie d'un système de peintures.
flaking	écaillage
	Défaut des peintures dont la surface se brise en lamelles et se détache.
floating; flooding	nuançage
	Apparition de stries colorées à la surface du feuil.
foxed (adj.)	piqué (adj.)
foxing	piqûres
	Minuscules cratères ou pustules résultant d'une corrosion active.
frosting	givrage
	Ridement dessinant à la surface du feuil un grand nombre de motifs de petites dimensions, en forme soit de polygones, soit de toiles d'araignée.

frothing
SEE bubbling

gas chromatography

chromatographie en phase gazeuse

Technique d'analyse qualitative et quantitative des constituants d'un mélange (liant et pigment) dans la mesure où ceux-ci peuvent être aisément volatilisés.

grime

salissures

Toute substance qui est de nature à souiller les oeuvres d'art, de la goutte d'eau jusqu'aux produits graisseux et caustiques.

haze
SEE mist

hot table

table chauffante

Table consistant en une plaque d'ardoise épaisse, maintenue à la température convenable par un élément de chauffage électrique réglable, aménagé au-dessous.

impregnation

imprégnation

Toute opération qui, dans le but de consolider ou de préserver un objet contre des facteurs tant intérieurs qu'extérieurs, tend à le saturer d'un produit ad hoc.

infrared photography

photographie en infrarouge

Technique utilisant les rayons infrarouges et permettant d'étudier l'état du tableau au-delà de la surface et de révéler parfois une étape de la composition jusque-là imperceptible.

inpainting

retouche

Opération qui consiste à combler une lacune à l'aide de peinture, tout en respectant scrupuleusement les limites de cette lacune.

island

îlot

Parcelle formée par une matière picturale durcie et craquelée.

key	clé
	Petite lamelle de bois taillée en coin et qui, introduite dans les mortaises des châssis, les empêche de s'écarter et contribue à maintenir les toiles parfaitement tendues.
lacuna; loss	lacune
	Partie manquante d'un tableau.
lapping	reprises visibles
	Visibilité des raccords là où l'application d'une même couche de produit a été fractionnée.
leaching	lixiviation
	Épuisement de certains constituants solides d'un feuil par l'eau maintenue ou renouvelée à son contact.
lining canvas; backing canvas	toile de doublage
lining support	support de doublage
loss SEE lacuna	
marouflage	marouflage
	Opération qui consiste à coller un support souple (papier, carton, tissu) sur un support auxiliaire rigide.
mildew SEE mold	
mist; haze	voile
	Variété d'altération de la couleur caractérisée par l'apparition d'une surface diffusante sur un feuil initialement brillant.
moisture barrier	barrière contre l'humidité
	Traitement qu'on applique aux peintures pour les protéger contre les influences néfastes de l'humidité du milieu.
mold (USA); mould; mildew	chanci
	Moisissure que l'on trouve à la surface d'un tableau et qui finit par provoquer l'opacification du vernis.

overcleaning; skinning	épidermage
	Nettoyage violent qui a usé la couche picturale par frottement.
overpainting; repaint	repeint; surpeint
	Toute retouche ou couche de couleur appliquée après l'achèvement du tableau et qui cache partiellement ou complètement la matière originale de l'oeuvre.
paint layer	couche picturale
	Dépôt mince de peinture, d'épaisseur aussi uniforme que possible, effectué dans une même opération d'application continue.
partial removal of varnish	allégement
	Opération qui consiste à amenuiser les couches de vernis, mais sans atteindre la surface de la couche picturale.
patching	rapiéçage
	Réparation d'une toile déchirée au moyen d'une pièce rapportée.
patina	patine
	Terme désignant à peu près tous les phénomènes de surface (souillure, lustre, voile, etc.) dus au vieillissement.
peeling	pelage
	Décollements partiels ou totaux d'une ou plusieurs des couches constitutives du feuil, avec ou sans altération du subjectile.
pentimento	repentir
	Détail peint, achevé ou resté à l'état d'ébauche peinte, qui a été supprimé ou corrigé par l'artiste et qui finit par transparaître.
photomacrography	macrophotographie
	Technique de photographie utilisée pour obtenir de faibles agrandissements sans l'intervention du microscope.

photomicrography	microphotographie
	Photographie d'une image imperceptible à notre oeil, prise au moyen d'un relais optique, le microscope.
pointillism	pointillisme
	Procédé de retouche recourant à un ensemble de points de couleurs pures.
raking light	lumière rasante; lumière tangentielle
	Procédé qui consiste à éclairer tangentiellement un objet de façon que tous les reliefs et aspérités soient accentués par les ombres portées.
reflected light	lumière réfléchie
	Procédé utilisant deux techniques distinctes, à savoir un éclairage par une source lumineuse dirigée directement sur l'objet, et un éclairage indirect qui tend à éliminer les reflets.
regeneration	régénération
	Procédé de restauration des vernis qui consiste à les exposer à des vapeurs d'alcool.
relining	rentoilage
	Opération qui consiste à renforcer une toile par le collage d'une toile neuve au dos de la première.
repaint SEE overpainting	
resin	résine
resistance to separation; separation resistance	résistance au décollement
restrainer	retardateur
	Dissolvant doux servant à couper un dissolvant trop actif.
ropiness	cordage
	Stries sensiblement rectilignes et parallèles qui, avec certains procédés d'application (p. ex. la brosse), apparaissent à la surface du feuil et persistent après séchage.

running; sagging	coulures Surépaisseurs en forme de draperies, de gouttes ou de festons.
scalling	pelliculage Maladie du vernis due à une condensation de l'humidité qui se produit parfois lorsque les tableaux sont sous verre.
scratch	éraflure Blessure provoquée par un corps ou un instrument relativement dur et non tranchant qui a effleuré la surface de l'objet.
sealed aging (of painting canvases)	vieillissement sous étanchéité isothermique
separation endurance; endurance to separation	tenue au décollement
separation resistance; resistance to separation	résistance au décollement
separation test	essai de décollement
shrivelling	ridement Ondulations dont la longueur est très grande par rapport à l'amplitude.
sinking in	embu Ternissement d'un feuil qui perd son brillant, le plus souvent par zones localisées.
sizing	encollage Première enduction qui, outre son rôle isolant, a pour but de fixer les fibres et de remplir les vides intercalaires.
skinning SEE overcleaning	
sodium light	lumière monochromatique de sodium Lumière jaune émise par des tubes et qui supprime l'effet des vernis teintés, permettant ainsi de retrouver des détails insoupçonnés.

staining	maculage
	Taches de couleurs diverses à la surface du feuil.
stopping SEE filling	
strainer	châssis
	Assemblage de menuiserie sur lequel on fixe la toile à l'aide de petits clous.
stretcher	châssis à clés
	Support secondaire pourvu de petits coins en bois qui permettent de régler la tension.
stripping	dévernissage
	Enlèvement complet du vernis d'une peinture.
support	subjectile
	Surface sur laquelle on applique une couche de produit (peintures, vernis, ou préparations assimilées).
swelling	dilution
	Résultat de l'addition d'un diluant.
tear	déchirure
	Rupture du support par suite d'une trop grande tension.
transfer	transfert; transposition
	Suppression du support ancien et remplacement de celui-ci par un nouveau support qui peut être d'une toute autre nature.
tratteggio	tratteggio
	Procédé de retouche recourant à un réseau de traits parallèles et verticaux de tons purs juxtaposés; la reconstitution colorée se fait par la synthèse optique.
trial cleaning	fenêtre (ouvrir une)
	Étape préalable à la restauration qui consiste à dévernir une petite partie de tableau pour déterminer la nature et l'état du vernis.

ultraviolet fluorescence photography	photographie par fluorescence d'ultraviolet
	Technique photographique mettant à profit les rayons ultraviolets et permettant de discerner les anomalies de la surface.
varnish impregnation	imprégnation au vernis
varnishing	vernissage
warping	gauchissement
	Courbure du support résultant en général d'une perte d'humidité au coeur de la matière.
warp shrinkage	embuvage
weathering	effritement
	Désintégration due à un séjour prolongé dans un lieu où l'objet a subi les effets des intempéries.
weathering of glass; devitrification	dévitrification
wetting agent	agent mouilleur
wrinkling	frisage
	Plissements du feuil se présentant sous la forme d'une succession de courtes vagues plus ou moins régulières, de petites amplitudes.
X-radiography	radiographie
	Procédé d'examen des peintures qui utilise les rayons X, plus pénétrants encore que les rayons infrarouges ou ultraviolets.
yellowing	jaunissement
	Terme employé pour désigner la teinte jaunâtre que prend avec le temps le vernis de protection des tableaux.

Source : Hénault, Michel. "Glossaire de la restauration des peintures." In *L'Actualité terminologique*. v. 12, n° 5, mai 1979, 2 f.

Annexe 2 / Appendix 2

Lexique français-anglais de la restauration des peintures/ French-English Glossary of Paintings Restoration

accident	damage
accrochage	anchorage
adhérence	adhesion
agent de consolidation; produit de consolidation; consolidant	consolidant
agent mouilleur	wetting agent
allégement	partial removal of varnish
assombrissement	darkening
barrière contre l'humidité	moisture barrier
blanchiment	blanching
bleuissement	bloom
bosse	bulge
bouchage; masticage	filling; stopping
bullage	bubbling; frothing
cartonnage	facing
chanci	mold (USA); mould; mildew
châssis	strainer
châssis à clés	stretcher
chromatographie en phase gazeuse	gas chromatography
clé	key
clivage	cleavage
cloquage	blistering
consolidant; agent de consolidation; produit de consolidation	consolidant

cordage	ropiness
couche picturale	paint layer
coulures	running; sagging
coupe transversale	cross section
craquelures	cracks; crackle; cracking; craquelure
cuvettes	cupping
datation au carbone 14	carbon 14 dating
déchirure	tear
décoloration	fading
dépression	dent
désacidification	deacidification
dévernissage	stripping
dévitrification	devitrification; weathering of glass
dilution	swelling
écaillage	flaking
effritement	weathering
embu	sinking in
embuvage	warp shrinkage
encollage	sizing
épidermage	overcleaning; skinning
éraflure	scratch
essai de décollement	separation test
exfoliation	exfoliation
faïençage	checking
farinage	chalking
fausse craquelure	false crackle

fenêtre (ouvrir une)	trial cleaning
feuil	film
fissuration	crazing
fixage; refixage	consolidation
friabilité	embrittlement
frisage	wrinkling
gauchissement	warping
givrage	frosting
gondolage	buckling
gras sur maigre	fat over lean
îlot	island
imprégnation	impregnation
imprégnation au vernis	varnish impregnation
incrustation	accretion
jaunissement	yellowing
lacune	lacuna; loss
lézardage	alligatoring
lixiviation	leaching
loupe binoculaire	binocular magnifier
lumière monochromatique de sodium	sodium light
lumière rasante; lumière tangentielle	raking light
lumière réfléchie	reflected light
lumière tangentielle; lumière rasante	raking light
macrophotographie	photomacrography
maculage	staining
marouflage	marouflage

masticage; bouchage	filling; stopping
microphotographie	photomicrography
nettoyage	cleaning
nuançage	floating; flooding
opalescence	blush
parquet	cradle
parquetage	cradling
patine	patina
pelage	peeling
pelliculage	scalling
photographie en infrarouge	infrared photography
photographie par fluorescence d'ultraviolet	ultraviolet fluorescence photography
piqué (adj.)	foxed (adj.)
piqûres	foxing
plage	area
pliure	crease
pointillisme	pointillism
produit de consolidation; agent de consolidation; consolidant	consolidant
radiographie	X-radiography
rapiéçage	patching
refixage; fixage	consolidation
régénération	regeneration
rentoilage	relining
repeint; surpeint	overpainting; repaint
repentir	pentimento

reprises visibles	lapping
résine	resin
résistance au décollement	separation resistance; resistance to separation
retardateur	restrainer
retouche	inpainting
retrait	cissing; crawling; creeping
ridement	shrivelling
saignement	bleeding
salissures	grime
subjectile	support
support de doublage	lining support
surpeint; repeint	overpainting; repaint
table chauffante	hot table
taquet	button
tenue au décollement	separation endurance; endurance to separation
toile de doublage	backing canvas; lining canvas
transfert; transposition	transfer
tratteggio	tratteggio
traverse	crossbar
vernissage	varnishing
vieillissement sous étanchéité isothermique	sealed aging (of painting canvases)
voile	mist; haze

Bibliographie / Bibliography

Alsford, Denis B. *An Approach to Museum Security.* Ottawa: Canadian Museums Association, 1975, 11 p.
Published also in French under the title: *Une façon de voir la sécurité au musée.*

Alsford, Denis B. *Une façon de voir la sécurité au musée.* Trad. de Jean-Paul Morisset. Ottawa: Association des musées canadiens, 1975?, 12 p.
Traduction de: *An Approach to Museum Security.*

Association des musées canadiens. *Manuel des emplois de musées: et proposition de principes d'éthique professionnelle/A Guide to Museum Positions: Including a Statement on the Ethical Behaviour of Museum Professionals.* Ottawa: c1979, i, 27, 28, i p.

Benoist, Luc. *Musées et muséologie.* Paris: Presses universitaires de France, 1971, c1960, 127 p. (Que sais-je?, 904)

Bibliographie muséologique internationale, 1980/International Museological Bibliography, 1980. Prague: Muzeologický kabenet při narodnim muzeu v praze, 1983, 119 p.

Calvert, Micheline. "Une nouvelle interprétation de la notion interprétation." In *L'actualité terminologique/Terminology Update.* v. 17, no 9, nov. 1984, p. 6-7.

Chatelain, Jean. *Administration et gestion des musées: textes et documents.* Paris: La Documentation française, c1984, 122 p.

The Conservation of Cultural Property, with Special Reference to Tropical Conditions. Paris: Unesco, 1968, 341 p. (Museums and Monuments, 11)
Published also in French under the title: *La préservation des biens culturels, notamment en milieu tropical.*

Dictionarium Museologicum. Comp. and realized by ICOM International Committee for Documentation, CIDOC, Working Group on Terminology, and National Centre of Museums. Budapest: CIDOC, 1986, 774 p.

Dictionarium Museologicum: Museological Classification System and Word Index/Système de classification et lexique muséologiques. 2nd enl. and improved ed. Budapest: Múzeumi Restaurator-és Módszertani Központ, 1979, 183 p.

Dixon, Brian, Alice E. Courtney and Robert H. Bailey. *The Museum and the Canadian Public/Le musée et le public canadien.* Ed., John Kettle, trans., Raynald Desmeules, coordination, Anne Dixon. Toronto: publ. for Arts and Culture Branch, Dept. of the Secretary of State, by Culturcan Publications, 1974, 381 p.

Les expositions temporaires et itinérantes. Paris: Unesco, 1965, 135 p. (Musées et monuments, 10)
Publié aussi en anglais sous le titre: *Temporary and Travelling Exhibitions.*

France. Direction des musées de France. Comité technique consultatif de la sécurité. *Prévention et sécurité dans les musées.* Paris: Impr. nationale, 1977, 191 p.

Frèches, José. *Les musées de France: gestion et mise en valeur d'un patrimoine.* Paris: La Documentation française, 1979, 200 p.

Giraudy, Danièle et Henri Bouilhet. *Le musée et la vie: un texte commenté et illustré de 50 dessins originaux.* Paris: La Documentation française, c1977, 95 p.

Harrison, Molly. *Changing Museums: Their Use and Misuse.* London, GB: Longmans, 1967, x, 110 p.

Hénault, Michel. "Glossaire de la restauration des peintures." In *L'Actualité terminologique.* v. 12, no 5, mai 1979, 2 f.

Hudson, Kenneth. *Museums for the 1980s: A Survey of World Trends.* Paris: Unesco, c1977, 198 p.

Hutcheson, Helen and Mariam Adshead. "Animation and Animateur: A Translator's Nightmare." In *L'actualité terminologique/Terminology Update.* v. 16, no. 1, Jan. 1983, p. 1-8.

Institut international pour la conservation des oeuvres historiques et artistiques. Groupe canadien. *Code de déontologie et guide du praticien: à l'intention des personnes oeuvrant dans le domaine de la conservation des biens culturels au Canada/Code of Ethics and Guidance for Practice: For Those Involved in the Conservation of Cultural Property in Canada.* Association canadienne des restaurateurs professionnels. Ottawa: c1986, 18, 18 p.

International Museological Bibliography for the Years 1981, 1982, 1983, v. 15-17: Subject Index/Bibliographie muséologique internationale pour les années 1981, 1982, 1983, v. 15-17: Index des matières. Paris: Unesco-Icom Documentation Centre/Centre de documentation Unesco-Icom, 1986, 253, 59 p.

Johnson, E. Verner et Joanne C. Horgan. *La mise en réserve des collections de musée.* Paris: Unesco, 1980, 59 p. (Musées et monuments, 2)

Johnson, E. Verner and Joanne C. Horgan. *Museum Collection Storage.* Paris: Unesco, 1979, 56 p. (Technical Handbooks for Museums and Monuments, 2)

Laboratoire de recherche des Musées de France. *Les méthodes scientifiques dans l'étude et la conservation des oeuvres d'art.* Paris: La Documentation française, c1984, 196 p.

MacBeath, George and S. James Gooding, eds. *Basic Museum Management.* Ottawa: Canadian Museum Association, 1969, 80 p.

Marijnissen, Roger H. *Dégradation, conservation et restauration de l'oeuvre d'art.* Bruxelles: Éditions Arcade, 1967, 2 v.

Musées des beaux-arts du Canada. *Programme de signalisation et de symbolisation.* Trad. par Louise Marchand. Doc. prélim. s.l.: Tudhope Associates, 1986.
Traduction de: *Signage and Graphic Program.*
Document interne.

Les Musées nationaux du Canada. *Un sentiment nouveau, 1972-1977: cinq années de la politique nationale des musées.* Ottawa: 1977?, 26 p.
Publié aussi en anglais sous le titre: *Places of Discovery, 1972-1977: Highlights from the First Five Years of the National Museums Policy.*

National Gallery of Canada. *Signage and Graphics Program.* Preliminary doc., rev. n.p.: Tudhope Associates, 1986.
Also available in French under the title: *Programme de signalisation et de symbolisation.*
Internal Document.

National Museums of Canada. *Places of Discovery, 1972-1977: Highlights from the First Five Years of the National Museums Policy.* Ottawa: 1977?, 27 p.
Published also in French under the title: *Un sentiment nouveau, 1972-1977: cinq années de la politique nationale des musées.*

Nouveau siège du Musée des arts et traditions populaires: programme de la galerie culturelle. 3e éd. Paris: Musée des arts et traditions populaires, 1968. Document interne.

L'organisation des musées: conseils pratiques. Paris: Unesco, c1959, 202 p. (Musées et monuments, 9)

The Organization of Museums: Practical Advice. Paris: Unesco, 1974, 188, 44 p. (Museums and Monuments, 9)

Poisson, Georges. *Les musées de France.* 2e éd. Paris: Presses universitaires de France, 1965, c1950, 126 p. (Que sais-je?, 447)

La préservation des biens culturels, notamment en milieu tropical. Paris: Unesco, 1969, 363 p. (Musées et monuments, 11)
Publié aussi en anglais sous le titre: *The Conservation of Cultural Property, with Special Reference to Tropical Conditions.*

Ripley, Sidney Dillon. *The Sacred Grove: Essays on Museums.* New York: Simon and Schuster, 1969, 159 p.

Société de construction des musées du Canada. *Premier rapport annuel 1982/83/ First Annual Report 1982/83.* Ottawa: 1983, 64, 64 p.

Strong, Roy, Sir. "Intellectuel ou vendeur?: le conservateur de l'avenir." In *Muse.* v. VI, no 2, été/juil. 1988, p. 21-26.
Publié aussi en anglais sous le titre: "Scholar or Salesman?: The Curator of the Future."

Strong, Roy, Sir. "Scholar or Salesman?: The Curator of the Future." In *Muse.* v. VI, no. 2, Summer/July 1988, p. 16-21.
Published also in French under the title: "Intellectuel ou vendeur?: le conservateur de l'avenir."

Teather, Lynne. *Professional Directions for Museum Work in Canada: An Analysis of Museum Jobs and Museum Studies Training Curricula: A Report to the Training Committee of the Canadian Museums Association.* Ottawa: Canadian Museums Association, c1978, 412 p.

Temporary and Travelling Exhibitions. Paris: Unesco, 1963, 123 p. (Museums and Monuments, 10)
Published also in French under the title: *Les expositions temporaires et itinérantes.*

Thiel, Marie-Josée, éd., et al. "Expositions temporaires." In *Museum.* no 152, 1986, p. 194-256.
Publié aussi en anglais sous le titre: "Temporary Exhibitions."

Thiel, Marie-Josée, ed., et al. "Temporary Exhibitions." In *Museum.* no. 152, 1986, p. 194-256.
Published also in French under the title: "Expositions temporaires."

UNESCO-ICOM Documentation Centre. *Alphabetical List of Descriptors/Liste alphabétique de descripteurs.* Paris: ICOM, 1985, 67 l.

Autres publications du Bureau des traductions

Other Translation Bureau Publications

Bulletins de terminologie

- Administration municipale
- Archéologie
- Astronautique
- Bancaire
- Barrages
- Biotechnologie végétale
- Bourse et placement
- Budgétaire, comptable et financier
- Cuivre et ses alliages
- Déchets solides
- Dépoussiérage industriel
- Divisions stratigraphiques, géomorphologiques et orogéniques du Canada
- Élections
- Fiscalité
- Génériques en usage dans les noms géographiques du Canada
- Guerre spatiale
- Hélicoptères
- Ichtyologie
- Intelligence artificielle
- Logement et sol urbain
- Loisirs et parcs
- Micrographie
- Précipitations acides et pollution atmosphérique
- Protection civile
- Serrurerie
- Services sociaux et services de santé
- Sports d'hiver
- Titres de lois fédérales
- Transport des marchandises dangereuses
- Transports urbains

Terminology Bulletins

- Acid Precipitation and Air Pollution
- Archaeology
- Artificial Intelligence
- Astronautics
- Banking
- Budgetary, Accounting and Financial
- Copper and its Alloys
- Dams
- Door Locks and Fastenings
- Elections
- Emergency Preparedness
- Generic Terms in Canada's Geographical Names
- Health and Social Services
- Helicopters
- Housing and Urban Land
- Ichthyology
- Industrial Dust Control
- Micrography
- Municipal Administration
- Parks and Recreation
- Plant Biotechnology
- Solid Waste
- Space War
- Stock Market and Investment
- Stratigraphical, Geomorphological and Orogenic Divisions of Canada
- Taxation
- Titles of Federal Acts
- Transportation of Dangerous Goods
- Urban Transportation
- Winter Sports

Collection Lexique

- Bureautique
- Citoyenneté
- Classification et rémunération
- Comptabilité
- Diplomatie
- Dotation en personnel
- Économie
- Éditique
- Enseignement postsecondaire
- Expressions usuelles des formulaires
- Finance
- Fournitures de bureau
- Gestion
- Gestion des documents
- Gestion financière
- Industries graphiques
- Informatique
- Pensions
- Planification de gestion
- Pluies acides
- Procédure parlementaire
- Régimes de travail
- Relations du travail
- Reprographie
- Réunions
- Services sociaux

Glossary Series

- Accounting
- Acid Rain
- Citizenship
- Classification and Pay
- Common Phrases on Forms
- Desktop Publishing
- Diplomacy
- Economics
- Electronic Data Processing
- Finance
- Financial Management
- Graphic Arts
- Labour Relations
- Management
- Management Planning
- Meetings
- Office Automation
- Office Supplies
- Parliamentary Procedure
- Pensions
- Postsecondary Education
- Records Management
- Reprography
- Social Services
- Staffing
- Work Systems

Langue et traduction

- Aide-mémoire d'autoperfectionnement à l'intention des traducteurs et des rédacteurs
- Guide du rédacteur de l'administration fédérale
- Guide du réviseur
- The Canadian Style: A Guide to Writing and Editing
- Vade-mecum linguistique

Language and Translation

Autres publications

- Bibliographie sélective : Terminologie et disciplines connexes

Other Publications

- Selective Bibliography: Terminology and Related Fields